PENSAR EN VERS

LA CANÇÓ IMPROVISADA
ALS PAÏSOS DE LA MEDITERRÀNIA

Josep Vicent Frechina

PENSAR EN VERS

LA CANÇÓ IMPROVISADA
ALS PAÏSOS DE LA MEDITERRÀNIA

ELS LLIBRES DE **caramella** [2]

Agraïments

Jordi Alsina; Associació de Glosadors de Mallorca; Ca Revolta; Carles Belda; Carrutxa; Cor de Carxofa; José María Chavarría; Família de Josep Royo *el Torrentí;* Festival Tradicionàrius de Barcelona; Fira Mediterrània de Manresa; Hermandad de Nuestra Señora del Rosario de Santa Cruz; Vicent Marqués; Felip Munar; Lluís Òscar (Metrònom); Laia Pedrol; Jordi Reig; Solc; Josemi Sánchez; Emilio del Carmelo Tomás; Giorgos Xylouris.

Generalitat de Catalunya
Departament de Cultura

ELS LLIBRES DE **caramella** [2]

1a edició: març de 2014
2a edició: maig de 2014

Edita: Caramella. Revista de música i cultura popular
www.revistacaramella.cat
redacció@revistacaramella.cat

Producció editorial: Migdia Serveis Culturals
Imprès a Calaceit per Gràfiques del Matarranya
ISBN: 978-84-87580-62-8
D.L.: T-756-2014

MECENES

Josep Pou Vellvehí; Gianni Ginesi; Joan Vicent Soriano Boluda; David Reig Delhom; Irene González Navarro; Rafael Beltran; Francesca Sáez Bru; Mireia Mena Casals; Nines Duato; Francesc Orts Pardo; Eduard Ramírez Comeig; Blanca Serra i Puig; Jordi Bancells; Associació Cultural 9 d'Octubre de Vilamarxant; Joan Lloréns; Rafa Xambó; Francesc Tomàs; Jordi Rizo Tarragó; Oriol Cendra Planas; Arnau Galí Montiel; Alba i Llorenç López Salas; María Pérez; Paueta Serrano; Maria Rosa Garcia; Jordi Sanchis; Pep Català; Jaume March Llanes; Pilar Almeria; Josemi Sánchez; Joanvi Sempere; Miquel Sbert i Garau (Mallorca); Pere Freixa; Eva Freixa; Rosa Maria Boixadé; Eva Boixadé; Andreu; Mariví; Víctor.

A Empar, Andreu i Mar
pel temps robat

Sumari

La cançó improvisada com a fenomen cultural 11

Una tradició poc tradicional? 13
Un recurs, moltes funcionalitats 25
Entre la diversitat i la unicitat 46
Una gramàtica pròpia 65
La veu individual 77
Molt més enllà del text 87
Una inesperada revitalització 101

Gèneres de cançó improvisada a la Mediterrània 113

Cant valencià (País Valencià) 115
Glosa (Mallorca) 122
Glosa (Menorca) 128
Cançons de pandero (Catalunya) 135
Jota (Terres de l'Ebre) 140
Corrandes de caramelles (Catalunya) 149
Nyacres i patacades (Empordà) 155
Garrotín (Lleida) 161
El trovo de l'Alpujarra i altres tradicions de cançó
improvisada a Andalusia 167
Trovo (Múrcia) 172
Ottava rima (Itàlia) 177
Gara Poetica (Sardenya) 180
Chjama è rispondi (Còrsega) 184
Mantinada (Creta) 187
Tsiattisma (Xipre) 190
Spirtu Pront (Malta) 192
Zàjal (Líban) 196
Iǀida i altres gèneres improvisats (Palestina) 199

Documents sonors 201

Bibliografia 207

La cançó improvisada com a fenomen cultural

Una tradició poc tradicional?

*En el començ començ
primer fou la cançó:
Déu treballant cantava.*
Joan-Salvat PAPASSEIT

«El poble no més canta quan ha de cantar, per sagrada necessitat d'expansió, y may per aquella vanitat o aquell compromís que són tara mortal de tantes obres dels més alts poetes *professionals* (mala raça que anirà desapareixent del món a mesura que'ls homes vagin cobrant bon sentit de la vida)». Ho escrivia l'extraordinari poeta *professional* Joan Maragall el desembre del 1903, en el lúcid pròleg que encapçalava l'opuscle que Valeri Serra i Boldú dedicà a les cançons de pandero catalanes (1907 [1982: 17-18]).

Més enllà de la idealització romàntica del poble i de la seua diferenciació de l'elit cultural —a la qual pertanyeria la mala raça dels poetes—, les paraules de Maragall encerten en assenyalar un dels trets essencials de la majoria de les manifestacions de cultura popular en la societat tradicional: obeeixen a una necessitat d'expressió, de comunicació, de resposta al medi.

El valor de la cultura popular no resideix en la bellesa de les seues formes, l'autenticitat del seu caràcter o la puresa de la seua condició, sinó en la seua capacitat per a condensar i expressar la forma d'entendre el món, la forma de relacionar-se amb el món i les estratègies de cohesió social, de transferència de coneixement i de conservació de la memòria del col·lectiu humà que la genera.

La cançó improvisada, com a pràctica expressiva present en moltíssimes cultures del planeta, és una venturosa mostra d'aquella capacitat.

En la societat preindustrial, el fet de cantar formava part indestriable de la vida quotidiana: el cant amenitzava el treball i l'oci, la festa i el dol. En la nostra societat actual els usos han canviat de manera radical, els rols s'han especialitzat definitivament i s'ha dissociat el productor del consumidor de cançons. Tot i això, la cançó continua sent un eficaç instrument de transmissió de valors, d'expansió sentimental, de socialització i de canvi cultural.

La improvisació dels textos de les cançons és una operació les arrels de la qual s'afonen en els mateixos orígens de la cultura oral: la primera cançó fou indubtablement improvisada.

De fet, bona part de la cançó tradicional ha estat en algun moment improvisada. Per això, hauríem de preguntar-nos amb la musicòloga francesa Marie-Hortense Lacroix (2004): si la cançó tradicional s'ha governat històricament per pràctiques improvisatòries, pràctiques individuals i de naturalesa intrínsecament efímera, «com i sobre quina base s'ha transmès de generació en generació?». Paga la pena detenir-nos una mica per analitzar aquesta aparent contradicció.

Segurament, allò que avui coneixem com a cançó tradicional era, durant el temps de la seua vigència, un directori d'estructures poètic-musicals recreades en el moment de la seua interpretació reciclant materials antics i afegint-ne de nous.

La condició de «textos definitius» que s'arroguen els cançoners contradiu, doncs, la seua pròpia naturalesa: els textos mai volgueren ser definitius en el temps, sinó definitius en el moment en què van ser interpretats i només en aquell moment.

Les «variants» que tan obsessionaven alguns folkloristes —i que hom arribava a atribuir a «transmissions defectuoses» o a llacunes memorístiques— formen part de l'ésser intrínsec del cançoner tradicional i la voluntat de recollir-les exhaustivament és una empresa quimèrica i sense sentit: pot haver-ne tantes com interpretacions de la mateixa peça perquè l'intèrpret sempre es va a sentir legitimat per a improvisar-ne una part.

Arribats a aquest punt, no tenim més opció que concloure que la «cançó tradicional», entesa com un producte cultural estàtic i fixat en el temps, no ha existit mai. El que existia era una forma «tradicional» d'aprendre les cançons, d'interpretar-les, de transmetre-les, de viure-les. En realitat, i estirant el fil de la paradoxa, podríem dir que anomenem cançó tradicional a la que ha deixat de ser-ho.

De no ser així, la cançó improvisada, pel seu caràcter espontani, efímer, imprevisible i esmunyedís, seria l'antítesi d'aquella cançó tradicional antiga i immutable.

La cançó improvisada no és un artefacte amb existència autònoma que ens arriba des d'un passat boirós i mitificat, sinó un vehicle d'expressió, de comunicació, de sociabilitat que no és res fins que no es crea i deixa de ser-ho des del mateix moment que s'ha creat. La cançó improvisada no «és»: la cançó improvisada «passa», ocorre en el just moment en què s'improvisa. És en aqueix precís instant en què té sentit ple.

La cançó improvisada és vivència pura: creació, execució i recepció s'escauen de forma simultània i no es pot desconnectar cap element de la resta. Si en falla un d'ells la seua eficàcia pot desactivar-se abruptament. Per això, al contrari que moltes altres expressions culturals, mai podrà ser una cosa del passat evocada amb nostàlgia interessada: com que no es pot segregar de la circumstància i el context que la propicien, sempre serà estrictament contemporània.

Aquesta és la seua principal diferència amb la poesia escrita: la transcendència en el temps quedaria fora, en una primera aproximació, dels seus objectius. La cançó improvisada i, per extensió, qualsevol forma de poesia oral improvisada, no vol tant projectar-se en la posteritat com incidir en el present de la forma més punyent possible.

Malgrat això, es presenta amb els dispositius mnemotècnics necessaris per a que, si la memòria col·lectiva considera una cançó particular digna de perdurar, puga ser retinguda sense massa dificultat: aquest és un dels papers essencials del metre, la rima i la melodia. La cançó improvisada produeix coneixement, valors morals, emocions, comicitat, identitat... que, ocasionalment, caldrà transmetre. Així s'ha configurat allò que anomenem cançoner tradicional: amb l'apropiació de la creació individual pel domini públic. Un procés de negociació constant entre memòria i oblit, un reciclatge permanent per evitar l'obsolescència, una transmissió fonamentada en la seua potencial utilitat.

Per tot el que acabem d'exposar, enfrontar-se al fenomen de la cançó improvisada amb ànim analític, exigeix una aproximació oberta i interdisciplinar: la seua condició d'esdeveniment conformat per paraula i música en acció la converteix en un gènere discursiu específic, un «marc de comprensió» que, com defensa l'antropòleg andalús Alberto del Campo (2006: 17-19) en el seu monumental estudi sobre el trovo de l'Alpujarra, aglutina *lo literario, lo dramático, lo visual, lo sonoro, en un* aquí y ahora *concreto*. Des de tots aquests fronts hem volgut plantejar —amb major o menor fortuna: algun altre ho dirà— el nostre treball.

Òbviament, hem posat una atenció especial en la paraula, matèria primera amb la qual treballa el poeta improvisador, però no hem volgut desatendre tot allò amb què s'amalgama per a donar una expressió única i indestriable: la cançó en el seu context.

Per estalviar-nos un localisme excessiu, que desviara l'accent dels trets essencials als particularismes i especificitats de la nostra pròpia tradició, hem optat per ampliar el camp de visió i abraçar un àrea molt més àmplia: la Mediterrània. L'elecció d'aquest marc geogràfic concret respon a tres motivacions: primerament, una atracció personal intensa i creixent; en segon lloc, l'abundància d'estudis sobre la improvisació poètica en l'àmbit hispànic que contrasta amb la poca visibilitat d'algunes tradicions mediterrànies; i, en tercer i més important, les afinitats culturals que, superficialment o de forma ben profunda, es perceben en resseguir les riberes d'aquest mar i que conviden a insistir-hi en la recerca.

No convocarem amb massa insistència, doncs, *payadores* argentins, uruguaians i xilens, repentistes cubans, *huapangueros* mexicans, *mejoraneros* de Panamá, *chuines* dominicans, *galeronistas* margaritenys, *trovadores* portorriquenys, *violeiros* brasilers, *piquerieros* colombians, *verseadores* canaris, *regueifeiros* gallecs o *bertsolaris* bascos, encara que ocasionalment els convidem a participar amb algun exemple de les excel·lències del seu art. I concentrarem la mirada en els glosadors mallorquins i menorquins, cantadors de jotes de les Terres de l'Ebre, versadors i cantadors valencians, corrandistes de Catalunya, *poetas* del Genil, *troveros* murcians i de l'Alpujarra, *cantadori* sards, *tsiattistaes* xipriotes, *ghanneja* maltesos, *qawwals* libanesos i altres improvisadors dels països mediterranis.

Creadors poètics, pensadors en vers, mestres de la paraula, que és el principi de tot. Així ho canta Amets Arzalluz, flamant guanyador de la darrera edició de la Txapelketa Nagusia, en la pel·lícula *Bertsolari* (2012):

> Dues paraules que es prenen i es comprenen
> d'això versa el bertsolarisme
> La idea no surt del no res
> La idea brolla de la paraula
> d'una paraula en surt una altra
> tal com surt el foc de l'espurna
> La paraula és la porta
> la paraula és la clau
> la paraula és el pany i la clau,
> Nosaltres modelem la paraula
> i la paraula ens modela.

Una paraula cantada que ens interpel·la i ens commou. Heu reparat en quin és el gest més repetit en una vetllada de cançó improvisada? No cal un escrutini massa minuciós: basta mirar la il·lustració de la portada d'aquest mateix volum on un cantador valencià, Josep Royo *el Torrentí* (1908-1985), canta en un llevant de taula. El somriure dels qui l'envolten és el que hi ha darrere de la porta que obri la clau de la paraula. La cançó és un miracle que ens convida a celebrar la vida.

Tan antiga com la cultura

L'antiguitat de la poesia oral improvisada es remunta als mateixos orígens de la cultura. Com li hem sentit dir a John Miles Folley, el fundador de la revista *Oral Tradition* recentment desaparegut, fins a la invenció de l'escriptura, la tradició oral fou la principal tecnologia de la comunicació de l'ésser humà: aquesta era l'única forma de transmetre el coneixement, d'expressar-se artísticament, de custodiar la memòria col·lectiva, de preservar la història i de construir la cultura.

El prestigiós occitanista Pierre Bec, en una antologia de referència que publicà l'any 2000, repassava les primeres documentacions dels debats poètics improvisats amb exemples de les cultures sumèria, acàdica, persa, islàmica, hebrea, grega i llatina, entre d'altres, per centrar-se finalment en la tençó medieval, la seua veritable especialitat. Un bigarrat mostrari que pot completar-se amb els exemples adduïts pel professor de la Universitat d'Alcalà José Manuel Pedrosa (2000a: 95-108 i 2000b: 49-68) —alguns d'ells incomprensiblement omesos en l'obra de Bec— i referits a les cultures xinesa i japonesa i a l'Europa nòrdica de les sagues.

Un dels exemples més coneguts d'aquestes primeres al·lusions a la poesia improvisada és el que recull el *Certamen d'Homer i Hesíode*, obra atribuïda al sofista Alcimedant (segles IV-V a.C.) que reuneix els dos grans noms fundacionals de la literatura grega en un combat poètic celebrat amb motiu d'unes festes que tingueren lloc a la cort del rei de Calcis, a l'illa d'Eubea.

Igualment coneguts són els combats poètics que reporten Teòcrit als *Idilis* i Virgili a les *Bucòliques*, controvèrsies pastorals que es dirimeixen amb les regles formals de l'anomenat cant amebeu: intervencions alternes dels dos contrincants sobre la mateixa estructura estròfica i el mateix motiu temàtic on resulta vencedor —i així ho acaba decidint un jutge extern— aquell que mostre una major conjunció d'habilitat tècnica, rapidesa d'enginy i poder persuasiu.

També en el món àrab la improvisació poètica ha estat ben difosa i prestigiada des d'antic i són nombrosíssims els testimonis que ho certifiquen des de *Les mil i una nits* a les cròniques històriques d'Al Àndalus.

Una tradició que coincidirà en el temps amb la dels joglars i trobadors dels territoris cristians; coincidirà i es barrejarà: la poesia lírica europea beurà directament de l'aljub andalusí i no resulta difícil rastrejar la influència de les formes poètiques àrabs —com el *zéjel* o la *moaxaja*— pel cançoner castellà, català, provençal, galaicoportuguès o fins i tot centreeuropeu coetani.

Haurem d'esperar, però, a les acaballes de l'Edat Mitjana per tenir la primera notícia a casa nostra d'un gènere de cançó improvisada que, ni que siga a nivell onomàstic, ens haja pervingut fins l'actualitat: el 1369, durant l'estada a València del rei Pere el Cerimoniós i la reina Elionor de Sicília per la festa de Sant Dionís, es van pagar vuit sous a cinc joglars «qui feren albades al senyor Rey, a la senyora Reyna e al senyor duch e a altres de la cort» (Carreres 1947). La naturalesa de cant de ronda d'aquestes albades primerenques ens la ratifica un *Confessional* imprés a València l'any 1493 on es pregunta al penitent «si ha tramès letres d'amor a dones casades, o si los ha fet albades» (Puntí 1993: 65). I l'acompanyament amb tabal i dolçaina es documenta, ja durant el segle XVII, en una poesia de Pere Jacint Morlà (1995: 133), beneficiat de la parròquia valenciana de Sant Martí,

> Diuen que fon lo inventor [del tabac]
> un potecari de Flandes,
> home que de nit sonava
> la dolçaina en les albades.

Òbviament, aquest gènere musical no se circumscrivia a València, sinó que estava ben difós al llarg i l'ample del país, com proven els villancets de les albades d'Urgell del segle XVI que es conserven, com annexos del cançoner de Fernández de Híjar, a la Biblioteca Nacional de Madrid. Villancets, amb els quals un joglar ronda una fadrina al so de la viola (Pagés 1911-12: 574):

> Si boleu saver l'albada,
> galana, qui la·us fa fer,
> Gabriel se nomenave,
> que·us bolrrie en son poder.

D'aquesta mateixa època són les primeres notícies de glosadors mallorquins, si acceptem com a tals els que recitaven i cantaven versos de suport als agermanats durant el primer terç del segle XVI (Serrà 1996: 17), amb la figura de Dionís Silvestre com a primer nom propi que roman en la memòria popular. I pels mateixos anys podria datar-se l'esment més antic d'un glosat menorquí (Rosselló 1982: 81; *apud* Ayensa 2000: 360).

És un moment aquest, els anys de transició del Renaixement al Barroc, en què el repentisme poètic sembla assolir una difusió altíssima per tot el territori peninsular, tant en l'àmbit de la poesia cortesana com en el dels ambients més populars.

El valencià Joan de Timoneda, per exemple, pobla alguna de les seues obres amb «trobadores y decidores de repente», que li proporcionen la resposta ocurrent i oportuna per tancar les anècdotes breus que la conformen. Així ho llegim repetidament al Buen aviso y portacuentos publicat l'any 1564:

> Vino una vez un soldado, que traya un dios nos libre atravessado por la cara, trobador de repente, a verse con un otro que era çapatero, el qual llevava largos cabellos, y por ser giboso, en verle, el soldado empeçó a dezille una copla, y sin dexarsela acabar, le respondio el çapatero. La qual copla es esta que se sigue:
>
> No sacastes la manera
> de poeta, mas de erizo,
> de la madre que os pariera...
> Ni vos, tampoco, bavera,
> quando tal señal se os hizo.

Uns improvisadors que Timoneda retrata sempre amb l'enginy esmolat i la intel·ligència desperta, com aquest que apareix a la Sobremesa y alivio de caminantes publicada un any abans:

> Fue combidado un necio capitán que venía de Ytalia por un señor de Castilla a comer. Después que huvieron comido, alabóle el señor al capitán un pagezillo que tenía muy agudo y gran dezidor de repente. Visto por el capitán, maravillado de su agudeza, dixo: «¿Ve vuessa merced estos rapazes quan agudos son? Pues sepa que quando grandes no ay mayores asnos en el mundo.» Respondió el pagezillo al capitán: «Más que agudo devía ser vuessa merced quando mochacho.»

Miguel de Cervantes (1994: 536), en una de les seues novel·les exemplars, El amante liberal, narra com la presència d'una mora de bellesa enlluernadora en la tenda de Carles V durant la presa de Tunísia, inspira uns versos improvisats en dos cavallers presents:

> Contaba que en aquella ocasión se hallaron en la tienda, entre otros muchos, dos caballeros españoles: el uno era andaluz y el otro era catalán, ambos muy discretos y ambos poetas; y, habiéndola visto el andaluz, comenzó con admiración a decir

unos versos que ellos llaman coplas, con unas consonancias o consonantes dificulto-
sos, y, parando en los cinco versos de la copla, se detuvo sin darle fin ni a la copla
ni a la sentencia, por no ofrecérsele tan de improviso los consonantes necesarios
para acabarla; mas el otro caballero, que estaba a su lado y había oído los versos,
viéndole suspenso, como si le hurtara la media copla de la boca, la prosiguió y
acabó con las mismas consonancias.

Un coetani de Timoneda i Cervantes, el malagueny Vicente Espinel, posarà en boga una estrofa —la *dècima espinela,* com es coneixerà més tard— que esdevindrà la més popular en l'àmbit del repentisme hispànic, amb una especial incidència a tot el territori llatinoamericà, on encara avui gaudeix d'una notable vitalitat.

La popularitat de la dècima arribà ràpidament al País Valencià on fou adop-tada per molts poetes populars, com el cèlebre Vicent Clèrigues *el Bolonio* que visqué a cavall dels segles XVII i XVIII. D'ell explicava Constantí Llombart (1883: 204-205) que «en pasejos, reunions en teatres y cafés, en totes parts, ab son atre-viment y sa sempiterna jarla, ab son apresurament y atropellant les idees y les paraules, de qu'ell mateix se ria, era *il capo di banda,* digamho així, de la jovenalla dels seus dies». Algunes dècimes seues passaren a l'usdefruit popular, com aques-ta visceral mostra d'orgull lingüístic (Ib.: 206):

> El que ignóre el valencià
> Calle el pico, si pot ser,
> Y no es fique á bagiller,
> Si parlem ó no en cristiá:
> Qu'esta gerga al sá y al plá,
> Té mes gracies estampades
> Que quantes ni haurà inventades,
> Per andaluços, murcians,
> Manjegos, ni castellans,
> Tres mil millons de vegades.

Alguns viatgers donen compte de la gràcia improvisatòria en dècimes dels valencians, com l'alemany Christian August Fischer (2012: 115-116) que visita-va València l'estiu del 1798:

> També Espanya té els seus *improvisatori,* que no són inferiors als italians,
> ni en talent ni en fama. Se'ls troba a Biscaia, i menys a les zones rudes i

poc poètiques d'ambdues Castelles, amb més freqüència a Extremadura, Andalusia i a les altres províncies del Sud, però més que en cap altre lloc a València.

[...] A qualsevol hostal o posada que es visite a la nit a València, sempre hi ha un trobador d'aquests, amb la seua arpa o guitarra. Allà canta una sèrie de balades en part ja conegudes, en part improvisades, segons que li hagen demanat un contingut eròtic o heroic.

És ben cert que les balades eròtiques són les preferides i, per tant, les més buscades. En elles es representen els secrets de l'amor amb una calor, amb una exuberància que sedueix els oients a ballar un bolero i no poques vegades s'incita a anar més lluny encara.

A banda d'això, totes aquestes balades són compostes en el *patois* valencià. [...] El talent d'aquests *improvisatori* es mostra de la manera més brillant en les anomenades dècimes [...]. Qualsevol aficionat d'entre el públic li dóna al trobador l'últim vers, i aquest improvisa de seguida els altres nou, el contingut dels quals, rima i ritme han d'encaixar en els ja donats.

Encara que aquestes dècimes moltes vegades no en contenen res més que delicades redundàncies, tanmateix solen ser sempre harmòniques i de vegades excel·lents en tots els aspectes.

Els trobadors són molt apreciats pels seus paisans, tant com sembla me-rèixer-ho el seu talent. En general són munyidors, memorialistes i de similars, i destaquen pel seu comportament enginyós, i en general per la seua vida poètica, lleugera i lliure de preocupacions.

L'eloqüència de les paraules de Fischer, i la valuosíssima informació amb què ens nodreix, ens ha aconsellat no interferir-les amb les nostres i reproduir la citació amb la dilatada extensió que esperem ens sàpien disculpar.

La precisió que fa Fischer de que totes les cançons improvisades es canten en valencià, contrasta amb un episodi recollit en un dels col·loquis atribuïts a Carles Leon —i publicat pocs anys abans del viatge de l'alemany— on un dels protagonistes improvisa una dècima canviant de llengua (Martí 2008: 196):

CENTO: Oh, i quanta glòria, València,
        acció tal te donarà!

TITO: Fes uns versos de *repiente*
        Cento, a l'assumpte.

CENTO: Allà van!

Si por la patria el rey romano,
como también por la ley,
y asimismo por el rey,
mil vidas expone, ufano,
hoy el pueblo valenciano,
cumpliendo fiel con su honor,
que es timbre de aquel valor
que heredó de sus leales,
tal conjunto, en glorias tales,
consagra al rey su señor.

Són, en qualsevol cas, els anys en què el país inicia el seu llarg pelegrinatge pel purgatori disglòssic on encara ens trobem i, per tant, no ens hem de sorprendre massa davant aquestes aparents contradiccions.

El que sí que sembla clar, d'una forma o l'altra, és que, en l'època en què Fischer visita València, la cançó improvisada ha passat a ser ja patrimoni exclusiu de les classes populars i s'ha refugiat en festes, tavernes i hostals, fora dels cercles il·lustrats que —llevat d'algunes excepcions— han iniciat el seu allunyament progressiu d'unes manifestacions expressives que comencen a veure's com a excessivament vulgars.

És en aquesta conjuntura de segregacionisme cultural, on les muralles de les ciutats estableixen la frontera —física i mental— que separa l'acadèmia i les arts del «*beduino del desierto*», per dir-ho amb les paraules de l'il·lustrat valencià Josep d'Orga, quan prendran definitiva carta de naturalesa la majoria de gèneres de cançó improvisada que coneixem avui.

Així, a finals del segle XVII ja es registren controvèrsies cantades en diverses ocasions festives. L'elxà Ginés Campillo de Bayle, per exemple, en el seu aplec de relats costumistes *Gustos y disgustos del Lentiscar de Cartagena*, imprès a València el 1689, descriu dotze dies de festa on hi havia «*diálogos de poesías cantadas*» (Bonmatí 2000: 374).

I al segle XVIII hi ha ja glosadors ben documentats a Mallorca com el cele-bèrrim Tià de sa Real (Manacor, 1715-1768), el també conegut Planiol, protagonista com l'anterior d'una rondalla de mossén Alcover (1962: 44-78; 1972: 113-115), el seu coetani Josep Catany *Catanyet*, llucmajorer, o els menys ano-menats Andreu Coll *Tambor*, nascut a Sóller el 1794 o Gabriel Mateu *Rei*, de Montuïri (1769-1848) (Miralles 1996: 55-61). Pels mateixos anys a Menorca està guanyant-se un prestigi inesborrable el glosador Josep Vivó *mestre Bep* (Ciutadella, 1725-1791), l'anomenada del qual ha fet que hom li atribuesca ben bé totes les gloses antigues difoses per l'illa.

Resulta difícil construir una imatge nítida d'aquests primers glosadors coneguts perquè la seua figura ens arriba emboirada de llegendes populars i descripcions nascudes al caliu de l'idealisme romàntic. Però són aquestes les úniques fonts de què disposem, perquè aleshores la cultura popular ja ha quedat exclosa dels estudis culturals. I així romandrà fins que la invenció del folklore la retorne com a objecte d'estudi «desactivat», primitiu, definitivament transcendit.

Serà el pensament romàntic qui, apropant-se a la cultura tradicional amb el seu paternalisme voluntariós, introduesca aquest factor d'estranyament que va a marcar la percepció del folklore al llarg del segle xix i bona part del xx.

Llegim, per exemple, les paraules elogioses amb què l'arxiduc Lluís Salvador es refereix a la tradició glosadora de Mallorca en el seu magne *Die Balearen in Wort und Bild geschildert*, publicat a Leizpig entre 1869 i 1891 (1955: 92):

> Proceden, en su mayoría, de improvisadores, glossadors, que todavía hoy, en el campo, es posible encontrar con frecuencia, incluso entre payeses sin formación cultural. Estas improvisaciones llevan un ritmo acentual que da la impresión de una canción, por incorrecto que sea, como debe esperarse de personas que, con frecuencia, no saben leer ni escribir. No falta jamás en ellas el vuelo poético, sorprendiendo la belleza de las imágenes y la profundidad y ternura de los pensamientos.

O comprovem com Washington Irving aprofita la cançó improvisada per reforçar l'exotisme del país visitat quan explica, en els preliminars dels *Cuentos de la Alhambra* (1996: 29), una excursió que féu el 1829 des de Sevilla a Granada:

> Ocurre a menudo que los arrieros improvisan en el acto coplas, inspirándose en algún paisaje que se les presenta o sobre algún incidente del viaje; esta vena fácil para componer e improvisar es característica en España, y, según se dice, heredada de los moros.

No sorprén excessivament trobar els mateixos tòpics argumentals referits als poetes populars de l'illa de Malta, tal i com els descrivia George Percy Badger el 1838 (83-84):

> Els maltesos tenen el peculiar talent per a la poesia que és natural en totes aquelles nacions que parlen l'idioma àrab. El gust per aquest ti-

pus de composició ha degenerat molt en les ciutats, però al camp es trobava amb la seva puresa original d'estil i expressió. Moltes vegades m'he parat i he escoltat dues persones assegudes en dos arbres oposats, o participant en algun tipus de treball, cantant respostes rimades l'una a l'altra, sense prèvia meditació. Això els nadius ho anomenen *taqbil*. Els temes varien d'acord a les circumstàncies, de vegades participen de la naturalesa de la poesia èpica, i de vegades de la sàtira sobre els defectes del caràcter de cadascú. Les melodies establertes per a aquestes cançons són, en general, una mica salvatges, igual que la música dels maltesos en general, però és una salvatgia que no deixa de tenir la seva bellesa i harmonia romàntiques.

Totes aquestes descripcions, malgrat l'hipotètic caràcter extraordinari i exòtic del fet que recullen, delaten en realitat el contrari: que la cançó improvisada no tenia res d'excepcional en la societat tradicional, sinó que formava part indestriable del seu engranatge quotidià. Fet i fet, des de la segona meitat del segle XIX, el cens de versadors coneguts en qualsevol àmbit territorial és molt elevat i alguns d'ells, a més, assoliran una certa anomenada bé per ser els primers noms en eixir a la llum des de l'ombra del temps, o bé per la seua incidència decisiva en l'evolució del gènere: és el cas del cantador-versador valencià Vicent Bernabeu *Carabina*, dels *troveros* del Camp de Cartagena Marín, Castillo i el Minero, dels cantadors de Tortosa Mariano Manta, Pio Cabet o Perot, dels glosadors mallorquins mestre Lleó, es Cabo Loco o Cartutxo, els glosadors menorquins Joan Tudurí *n'Alianó* o el mestre Bep Manxa, els *cantadori* sards Antonio Cubeddu i Gavino Contini, etc.

Molts d'ells visqueren la conversió en espectacle públic de les respectives tradicions de cançó improvisada: una primera folklorització conseqüència de les profundes transformacions culturals provocades per la progressiva desaparició de la societat tradicional i la seua substitució pel model de civilització urbana moderna.

Un recurs, moltes funcionalitats

A les societats tradicionals hi havia ben poc de gratuït o accessori: qualsevol manifestació cultural obeïa a la satisfacció d'unes necessitats bàsiques, individuals i col·lectives.

Des d'aquesta perspectiva, el folklore pot entendre's, en primera instància, com una sofisticada tecnologia de comunicació on cada gest s'investeix amb diversos nivells de lectura i on el seu contingut simbòlic necessita ser descodificat per un públic expert.

En un cèlebre article publicat l'any 1954 a la revista *Journal of American Foklore*, William Bascom postulava per al folklore quatre funcions bàsiques: entretenir, educar, legitimar i controlar. L'antropòleg americà veia en el folklore un instrument per a evadir la repressió imposada per la societat; un «dispositiu pedagògic» per a inculcar o reforçar determinats valors morals —la diligència, el respecte als pares, l'acompliment de les normes socials— i ridiculitzar actituds que pogueren posar en perill la convivència o la mateixa supervivència del cos social —la peresa, la rebel·lia, les desviacions de la norma—; un recurs per a legitimar la cultura i justificar els seus rituals i institucions; i un mitjà per a exercir control social i per a regular les sortides d'aquesta pressió.

Totes quatre funcionalitats poden trobar-se clarament representades en els usos que les societats tradicionals han fet de la cançó improvisada, però convé examinar-les amb deteniment per ampliar-les i matisar-les una mica i entendre així millor la complexitat i la transcendència d'una manifestació cultural que, com passa molt sovint en aquest àmbit, oculta bona part del seu significat a la mirada superficial.

Expressió individual

Primer que res, la cançó improvisada és un recurs per donar eixida a una necessitat expressiva individual. És el que diu la cèlebre cobla atribuïda, entre d'altres, a la principal figura del *chacarrà* del camp de Gibraltar, Juan González *Tirilla* (Algecires, 1920) —atribució òbviament apòcrifa perquè està documentada abans del seu naixement:

> *Tengo mi pecho de coplas*
> *que parece un hormiguero,*
> *se lían unas con otras*
> *por ver cuál sale primero.*
> (Ruiz 2000: 467)

No hi ha major estímul per un improvisador que satisfer aquesta urgència comunicativa, com il·lustrava una cançó del cantador i versador valencià el Xiquet de Mislata,

> Quan una xica te vol
> i li estàs cantant albaes
> verses més que el Cabiscol
> i eixa nit cantes debaes
> fins a l'eixida del sol.
> (Marzal 2009: 279)

Encara es pot comprovar avui mateix, allà on la cançó improvisada manté una vigència important, com aquesta és una de les seues principals funcions. Així ho constatava Eric L. Ball (2006: 276) en el seu estudi de les *mantinades* de l'illa de Creta: a més de servir d'entreteniment i de ser un mitjà d'expressió de la masculinitat cretenca, també proveeixen als homes d'una oportunitat per expressar i debatre les seues respectives filosofies de la vida.

Com ocorre en qualsevol altra disciplina artística, el poeta popular expressa per mitjà de la cançó improvisada els seus sentiments i les seues emocions, però també la seua visió del món i els seus posicionaments ètics.

L'enorme *trovero* de l'Alpujarra Miguel García *Candiota*, definia el trovo (Criado i Ramos 1992: 318) amb una quinteta ben eloqüent:

> *Trovar es rápido invento*
> *cuya misión es unir*
> *la rima y el fundamento*
> *y en cinco versos decir*
> *lo que siente el pensamiento.*

I ausades que impregnà centenars —milers!— de quintetes improvisades amb el seu pensament moral i la seua forma d'entendre de la vida.

El mexicà Guillermo Velázquez (2004), un dels principals representants, amb el seu grup Los Leones de la Sierra de Xichú, del *huapango arribeño,* aprofundia en aquest aspecte del repentisme i apuntava implícitament la seua potencialitat com a art pur, és a dir, com a forma de coneixement singular i diferenciada.

> … *la dinámica interna de la improvisación conlleva en todos los casos* […] *una especie de «disposición» ó «abandono» (propiciatorio) A FUERZAS EMOTIVAS Y DEL PENSAMIENTO que —cortadas las amarras del miedo— son capaces de revelarnos dimensiones inéditas y sorprendentes de la vida y de la «realidad», en fulgores que duran un instante pero que nos hacen capaces de vislumbrar eternidades.*

Una lúcida reflexió que ens duu a la memòria aquell episodi en què un glosador mallorquí li retreu a un altre que no sàpiga respondre enmig de la topada, fet que el converteix ben bé en un impostor justament per això: per no ser capaç d'abandonar-se a les forces emotives i del pensament (Sbert 2009: 174).

> Ara veig per cosa certa
> que vós no sou glosador,
> perquè un cavall corredor,
> en tocar-lo d'esperó
> ja és partit carrera oberta.

Funció lúdica

Si per al poeta, la primera funció de la cançó improvisada és donar eixida a la necessitat d'expressar-se, per al seu públic, òbviament ho és l'entreteniment, la diversió, la catarsi. Una funcionalitat que no hauríem de menystenir en absolut perquè aquestes oportunitats d'expansió col·lectiva representen un importantíssim paper en la articulació i integració social i en la realització de l'individu com a ésser civil.

Molt sovint es fan antagòniques diversió i transcendència, però es tracta d'una dicotomia interessada: bé saben els que estudien el fet festiu que aquest pot ser molt més transcendent que qualsevol altra manifestació de la sociabilitat humana.

La festa participativa no només serveix per l'autocelebració i la restauració cíclica dels vincles col·lectius. També és molt sovint el catalitzador del canvi social, el salconduit que permet sotmetre el sistema a proves d'estrés i verificar la seua fortalesa.

Dèiem al principi que riure i somriure són els gestos més repetits en una vetllada d'improvisació poètica. El riure que suscita la cançó improvisada, però, té unes qualitats especials: és un riure col·lectiu, inclusiu, creatiu. És un riure que crea complicitat, que genera o rehabilita afiliacions grupals, que demarca els límits de la comunitat: un espasme involuntari que equival a una abraçada.

Demostració d'habilitats

En la societat tradicional era tan important la cooperació com la competència. Per això eren tingudes en molt alta consideració totes les habilitats físiques i intel·lectuals exhibides pels seus membres: es consideraven com un recurs susceptible de ser col·lectivitzat.

La jerarquia social s'articulava així en base als béns materials o immaterials de què podia fer gala cadascú i les capacitats personals, representades en aquest cas per l'agilitat mental i el domini de l'ofici poètic, constituïen un capital humà molt valorat.

La demostració d'habilitats té, a més, un pes decisiu en l'eficàcia retòrica de la cançó improvisada: perquè el missatge emés faça camí, ha de comptar amb la simpatia del receptor, i aquesta simpatia se suscita des de l'admiració. La competència en l'execució legitima d'alguna manera el missatge i augmenta la receptivitat del destinatari.

No és estrany, doncs, que el públic premie l'habilitat verbal i censure la insolvència improvisadora: aquest és, per exemple, el propòsit final de molts dels combats entre poetes que tenen lloc a tot arreu, siguen *għanneja* maltesos, glosadors mallorquins o menorquins, *poeti a braccio* toscans, *tsiattistaes* xipriotes o participants en una *gara* poètica sarda. Tots ells s'abocaran en cos i ànima per desmuntar l'argumentari del rival i deixar-lo sense resposta, amb una barreja d'agressivitat oral i enginy humorístic que es guanyarà el favor del públic:

> Es teu glosar no m'espanta,
> si més no t'has explicat.
> Te veig més embarassat

que un llagost que s'és travat
a dins un fil de taranta.

(Janer 1987: 3)

En moltes ocasions, la mateixa dinàmica del ritual subratlla de manera cridanera aquesta vessant de la cançó improvisada quan el poeta ha de crear els seus versos sobre rimes o peus forçats, temes sol·licitats pel públic o qualsevol altre constrenyiment de forma o contingut.

Potser el cas més extrem es dóna en una de les modalitats de combat poètic —*atişma*— que tenen lloc entre els *âşiks* de la regió de Kars i Erzurum, en l'Est de Turquia. S'anomena *dudak değmez* ('els llavis no es toquen'). El poeta es col·loca una agulla o un furgadents perpendicularment entre els llavis i ha de improvisar la seua intervenció sense que li caiga: això l'obliga a ometre en els seus versos qualsevol paraula que continga sons bilabials o labiodentals, amb la qual cosa l'exigència de virtuosisme verbal augmenta de manera considerable (Reinhard 1993: 12).

Aquesta tendència a l'espectacularització de la improvisació cantada que reforça la seua component tècnica l'ha apropada, en alguns casos, a un model de competició esportiva, el millor paradigma del qual seria el del bertsolarisme basc —operació saldada, en aquest cas, amb un èxit popular indiscutible: la darrera edició del campionat quadriennal, la Txapelketa Nagusia, reuní més de 13000 persones en el Bilbao Arena de Barakaldo.

Un model semblant ha seguit el *zàjal* libanés: hi ha equips de quatre poetes cadascun —*jawqa*— que participen en competicions —*mubārāt*— amb altres equips davant desenes de milers de persones. (Haydar 1989: 204).

Celebració de la identitat

Un dels instruments de cohesió més importants amb què compten les comunitats humanes són els rituals col·lectius en què s'escenifica un «nosaltres» compartit. Rituals de celebració de la identitat grupal en què es reforcen els seus símbols fundacionals, els trets culturals que la integren, els seus valors i la seua organització social. Es tracta d'allò que l'antropòleg escocés Victor Turner (1986: 24) va anomenar «reflexivitat performativa»: una operació per mitjà de la qual un col·lectiu, o un grup dels seus membres més sensibles actuant en qualitat de representants, examina les seues «relacions, accions, símbols, significats,

Josep Vicent Frechina

La cançó improvisada conserva encara avui algunes de les funcionalitats que tenia en la societat tradicional. Ací veiem el cantaor Fernado el Ratllat, interpretant una albà d'homenatge a una família durant la Nit d'Albaes del Puig (l'Horta) celebrada l'agost de 2013.

codis, rols, estatus, estructures socials, normes ètiques i legals i altres components socioculturals que conformen el seu ésser públic». Segons Turner, això no es produeix com una acció reflexa, com una resposta automàtica a un estímul extern, sinó que «està altament planificat i és artificial, de la cultura i no de la naturalesa, una obra d'art deliberada i voluntària».

Els rituals protagonitzats per la cançó improvisada representen —en moltes ocasions de manera absolutament explícita— aquest paper d'autoafirmació social, de celebració de la identitat col·lectiva. I ho fan aprofitant dos elements consubstancials a la seua pròpia naturalesa: d'una banda, el marc festiu en què tenen lloc que, com molt certerament apunten Sergi Gómez i Antoni Ariño en el seu inspirador estudi sobre la festa contemporània (2012: 21), propicia i intensifica les interaccions emotives; i de l'altra, la seua mateixa condició de paraula pública, de veu que s'expressa tàcitament en nom de la comunitat.

A mesura que s'han anat aprofundint els trets de la modernitat avançada, aquesta funcionalitat de la cançó improvisada s'ha accentuat fins el punt d'esdevenir en molts casos el seu motiu principal.

Així ho percebia, per exemple, Eric Ball (2002: 70) que apuntava com bona part de les *mantinades* cretenques estava marcada per alguna mena de preocupació amb la identitat o els valors de Creta. O Alberto del Campo (2006: 327-336) que detectava en el seu estudi del trovo a l'Alpujarra granadina quatre nivells superposats d'autoreconeixement col·lectiu en dialèctica permanent: l'infralocal —*«nosotros los del cortijo»* , el local —*«nosotros los cortijeros»*—, el comarcal —*«nosotros los alpujarreños»*— i el regional —*«nosotros los andaluces»*. També els diversos autors que han analitzat l'evolució de l'*spirtu pront* a Malta han subratllat la seua transcendència com a camp de joc per a negociar les múltiples polaritats identitàries que es plantegen en la societat maltesa: rural-urbà, tradicional-modern, catòlic-musulmà, occidental-oriental, maltés-anglés, local-cosmopolita (Frechina 2014). I qualsevol que s'haja acostat a una guitarrà o una nit d'albaes valenciana en algun moment del segle xx, no haurà tingut massa dificultats per escoltar ampul·loses exaltacions dels tòpics associats a la identitat territorial:

> València serà València
> mentres quede una barraca,
> el Micalet de la Seu
> un guitarró i una traca.
> (Pitarch 1997: 17)

El fet que aquests mateixos tòpics constituesquen el nucli central de l'estratègia política que ha atorgat la seua hegemonia als sectors més conservadors i espanyolistes de la societat valenciana, ens posa sobre la pista d'una altra de les funcionalitats importants de la cançó improvisada: la creació d'opinió que tant pot servir, com escrivia Antoni Serrà (1996: 48) per refermar l'*statu quo* com per soscavar-lo.

Creació d'opinió i control social

En les societats tradicionals la paraula gaudia d'una «alta qualificació moral» —per dir-ho amb la precisió lèxica de Miquel Sbert (2008: 50). Els tractes es feien de paraula i quan un donava la seua paraula no podia fer-se'n enrere sense deshonra, perquè faltar a la paraula era un descrèdit que atacava l'element essencial que definia l'individu en el si del cos social: el seu honor. «La paraula abans de tot», «La paraula fa l'home» o «El bou per la banya i l'home per la paraula», són locucions que manifesten la prevalença intocable de la paraula emesa en públic.

En el cas de la cançó improvisada, aquesta paraula adquireix un valor afegit per les circumstàncies especials en què es pronuncia.

En primer lloc, l'acció ritual on s'inscriu que li confereix una eficàcia simbòlica de gran calat i «produeix una experiència de comunitat, de vinculació amb la totalitat social a la que imaginàriament i real hom pertany» (Ariño-Gómez 2012: 27).

En segon lloc, la legitimitat que propicien els seus elements formals —regularitat mètrica, rima, melodia, etc.— i el tel de veritat amb què l'embolcalla la seua presentació artística, elements que atorguen a la cançó improvisada una elevada capacitat per a la transmissió d'idees i pensaments —que, a més, poden ser fàcilment memoritzats. És allò que resumia gràficament el pare Ginard (1960: 130): «El vent acanalat bufa més fort. [...] També, les paraules i les idees, en fer-les circular per l'aqüeducte estret de la rima, forçades per la pressió, duen més força i se produeixen, qualque pic, per això mateix, situacions magnífiques. La rima és un pes, però també, una ajuda i unes ales». El paper legitimador de la rima queda patent en la disculpa tradicional que emet un versador valencià quan, superat per les exigències d'agilitat mental enmig de la versada, no acaba de lligar el consonant: «No rima, però és veritat».

En tercer lloc, la credibilitat de la qual sempre gaudeix el pensament espontani al qual se li concedeix una garantia de sinceritat avalada, precisament, per la immediatesa i impulsivitat amb què s'ha verbalitzat. En alguns llocs, fins i tot, es dóna una certa importància al consum de begudes alcohòliques —vi o aiguardents— durant la improvisació per assegurar la desinhibició del discurs i permetre que les emocions —sempre considerades més autèntiques— imposen la seua llei a les reflexions —contaminades pels prejudicis, la ideologia, les prevencions i altres crosses del pensament.

I, finalment, la llibertat que la tradició —atesa ací com a norma consuetudinària de govern social— concedeix a l'improvisador, emmarcada normalment en el context d'excepció festiva en què té lloc la seua actuació. Una llibertat d'expressió en molts casos intimidant, com be reflecteix la coneguda glosa:

Lliberau-mos Sant Antoni
de llengo de glosador,
ell li emprèn com un pintor

que amb la mateixa color
tant pinta sant com dimoni.
(Ginard 1960: 93)

Aquesta funció del poeta popular com a creador d'opinió es fonamenta, òbviament, en la seua complicitat amb l'audiència que delega en ell una tal responsabilitat. Tanmateix, com bé matisava Fèlix Balanzó (1984), la paraula del poeta té un valor rellevant de convicció i de configuració del pensament, però —llevat de casos excepcionals com l'ús de la cançó improvisada en la intifada palestina— no tant de revulsiu per a la incitació a l'acció. La cançó improvisada constituiria així, com ha observat Jon Sarasua (2000: 477) per al cas del bertso-larisme basc, una mena de circuit alternatiu de comunicació, una zona franca on es negocien les relacions socials (Herzfeld 1985) en dialèctica permanent amb els discursos ideològics que imposen o intenten imposar les classes dirigents.

És en l'àmbit d'aquesta dialèctica on cal entendre alguns trets d'aparença ben bé incongruent que trobem en alguns gèneres d'improvisació cantada. Per exemple, l'ús del castellà per banda dels cantadors de jotes de les terres de l'Ebre —o d'alguns versadors i cantadors valencians del primer terç del segle xx— que podria interpretar-se com a mera submissió lingüística però també (Ferré 2004: 42-43) com un estratagema legitimador atés que el castellà era la llengua de prestigi com a vehicle de comunicació pública. O els elogis hiperbòlics amb què alguns improvisadors afalaguen les autoritats presents, entesos sovint com a mostres de servitud i docilitat amb el poder. Aquesta percepció, segurament, anirà ben encaminada en la majoria d'ocasions, però el fet és susceptible d'una lectura alternativa: l'improvisador s'arroga la capacitat d'elogiar, és a dir, de pon-derar, de valorar, d'aprovar —i per tant, també del contrari, de censurar— i exhibeix així el poder del subaltern sobre el dominant. Un poder que no hau-ríem de menystenir i que moltes vegades només pot combatre's per la via co-ercitiva: des dels interrogatoris amb què la Inquisició intentava acovardir alguns glosadors de Mallorca o Menorca a la censura i la persecució franquista que visqueren en carn pròpia el glosador Llorenç Capellà *Batle*, d'Algaida (Oliver 1982: 104, *apud* Serrà 1996: 50) o el versador i cantador Vicent Peris *el Xiquet de Paterna*, afusellat el novembre del 1939.

Darrere d'aquesta repressió dels improvisadors no hi ha només la voluntat de silenciar una veu discordant, que s'apropia d'una incòmoda llibertat d'expressió, sinó també la prevenció que suscita la seua condició d'eventual portaveu col-lectiu. Una condició assumida pel poeta o consentida per la comunitat però que, en qualsevol cas, fa honor a allò que entonava l'uruguaià Alfredo Zitarrosa en la «Milonga más triste»:

Cuando canto soy un hombre
con un pueblo en la garganta.

El fet que la paraula poètica siga pronunciada en públic i enquadrada en una acció ritual converteix tots els presents en responsables subsidiaris del seu contingut i adjudica implícitament al poeta una autoritat representativa.

Així, el poeta, expressant-se en nom del col·lectiu, podia transformar la seua cançó improvisada en un instrument de pressió social, de validació o reprovació de conductes privades o públiques i de demostració de poder veïnal.

Un exemple il·lustratiu d'aquest poder seria el ritual de la *regueifa* de la zona de Bergantiños i altres municipis gallecs: quan se celebrava un casament, els veïns que no havien estat convidats al banquet es presentaven a la casa on tenia lloc, acompanyats d'un cantador, i reclamaven la *regueifa* —una mena de fogassa de pa per repartir entre els presents— mentre el cantador improvisava cobles amb elogis o insults cap a la parella. La *regueifa* esdevenia d'aquesta manera un ritual on s'escenificava l'acceptació —o el rebuig— de l'enllaç pel veïnat i la submissió de la nova unitat familiar —mitjançant el tribut material i moral que representava la *regueifa*— a les normes socials que regien la comunitat (Blanco 2000: 346).

El model de control social que representa la *regueifa*, es donava a tot arreu d'una forma potser menys explícita però igualment resolutiva. L'antropòleg britànic Alfred Radcliffe-Brown, pare del funcionalisme estructural que dominà l'antropologia social anglosaxona durant bona part del segle XX, va caracteritzar les diverses formes amb què s'exercia el control social en les societats poc desenvolupades tecnològicament —«primitives» en la terminologia de l'època. Entre aquestes formes, Radcliffe considerava (1952: 205) allò que anomenava «sancions difuses»: aquelles que no implicaven una acció directa per banda de les autoritats o d'algun poder organitzat, però que d'una manera o altra expressaven l'opinió pública de la comunitat. Dins d'aquestes sancions difuses, hi hauria una molt vinculada a la cançó improvisada: la sanció satírica, per la qual el comportament d'un individu es posat en ridícul pels seus semblants, fet especialment rellevant en l'àmbit mediterrani on l'honor personal és un dels valors socials més altament considerats.

Encara avui se sent dir al País València l'expressió «si no t'agrà, li cantes una albà». I així definia l'albà un dels seus més il·lustres practicants, Manolo Marzal *el*

Xiquet de Mislata (2009: 105): «és un cant provocatiu, desafiador i fins i tot malin-tencionat: la 'lletra', com una estral, va retraent defectes coneguts o atribuïts que puga tindre la persona a qui se li canta. És fonamentalment un cant renyidor...».

La sanció satírica constitueix una forma de judici verbal que castiga les des-viacions del comportament moralment acceptat, les sortides fora dels límits d'allò tàcitament acceptat, siga d'un veí o de la mateixa autoritat com reflectei-xen aquestes albades versades pel mateix Manolo Marzal (2009: 278):

> El poble està descontent
> per la rifa del pernil,
> per tocar-li sanceret
> a la dona l'aguasil,
> rifant-lo l'Ajuntament,
>
> Hi ha qui té bon paladar
> per a viure de rebot:
> s'ho ha sabut arreglar,
> fent retor al seu nebot
> i viu sense treballar.

Es tracta, però, d'una sanció menor, que s'imposa per prioritzar l'interés col·lectiu sobre l'individual i que, per això mateix, es deixa sempre oberta a la reconciliació com molt bé ha subratllat Alberto del Campo (2006: 304): «*El des-viado ha de ser censurado, pero no mediante una humillación de tal calibre que le impida volver al grupo, pues éste le necesita*».

Un dels objectes predilectes de sanció per banda de la cançó improvisada a tot arreu ha estat la modernitat i les transformacions socials que s'hi associen. És evident que les tensions entre tradició i modernitat —que no deixen de ser paradoxals ja que, al capdavall, impugnar la modernitat no és més que una expressió d'aquesta mateixa modernitat— es troben al darrere de molts dels conflictes més sagnants viscuts durant el segle xx. Portar aquesta tensió a l'àmbit de la cançó improvisada —com a observat Ball (2000; 2002) en el cas de les *mantinades* cretenques— permet debatre-la i resoldre-la en un nivell estètic i no només a través del seu contingut, sinó també de la forma en què la cançó improvisada es practica: per exemple, quan abandona el seu territori propici —la taverna o el carrer— i es desplaça a l'estudi de gravació per convertir-se en objecte de consum.

D'aquesta faceta de la cançó improvisada com a marc per a la resolució de conflictes parlen més extensament tot seguit.

Resolució de conflictes

L'antropòleg andalús Francisco Checa (1996: 66), reflexionava sobre la capacitat de sedant social que tenia el trovo de l'Alpujarra en el sentit que resol conflictes sense eixir d'ell mateix: en el trovo, i en general, en la cançó improvisada, quan s'aborda un fet problemàtic mai es deixa obert o sense solució.

És notori que la controvèrsia cantada és una ritualització de l'agressivitat humana que es planteja justament per combatre-la: per neutralitzar-la o sublimar-la. «*Quien afila versos no afila navajas*», com deia l'afortunada sentència que Alberto Colao escrivia al pròleg del volum peoner que Ángel Roca dedicà a la figura del *trovero* cartagener José María Marín (1971: 24).

Dèiem adés que una de les característiques més singulars de l'improvisador és la seua capacitat per alternar la veu individual i col·lectiva, passant del jo al nosaltres sense solució de continuïtat. És un personatge amb nom i cognoms però també un «*símbolo que condensa las tensiones, conflictos y agresividad, por un lado, y la capacidad, ironía y agilidad mental por otro, que el auditorio, que practica el arte de oír, experimenta y desea. El trovo, en esa función elemental, descubre y manipula axiomas panhumanos, reduce la agresividad a algo manejable y agradable*» (Lisón 1980: 17–18).

L'improvisador, per tant, pot encarnar en la seua figura una de les faccions enfrontades en un conflicte, pot exercir de mediador en conflictes vigents, pot destapar conflictes ocults o, per la impertinència de la seua paraula, pot provocar ell mateix els conflictes.

Saad Abdullah Sowayan, per exemple, en el seu estudi dels duels poètics (*riddiyyi*) a la península aràbiga (1989: 166), explica com aquests han servit en ocasions per a resoldre, contenir, mitigar o representar quan ha convingut les rivalitats tribals.

Ina Friedman i Ehud Ya'ari (1991), en canvi, documentaven l'ús de la poesia improvisada, via emissió televisiva, entre les dues parts enfrontades durant la invasió d'Iraq al Kuwait l'any 1991 com a arma de reforçament moral i de ridiculització de l'adversari. L'efectivitat d'aquesta pràctica raïa en el profund arrelament cultural de la poesia *hija'* i la incidència popular de les seus formes invectives o jaculatòries. Segons aquests mateixos autors, tant Sadam Hussein com el rei Fhad, rebien informes diaris que analitzaven el contingut d'aquests «debats poètics a distància».

Aquesta instrumentalització política del combat poètic delata el seu potencial en la configuració de l'opinió pública allà on manté encara una important vigència popular. Per això alguns poetes són molt rigorosos en el manteniment d'una independència partidista que avale la seua credibilitat. És el cas, per exemple, dels poetes del zàjal libanés que, malgrat la pressió de les diverses ideologies del país i de les afiliacions religioses enfrontades, s'han mantingut pràcticament immunes a les lluites entre faccions i les disputes polítiques (Haydar 1989: 189). Això els permet actuar de mitjancers i portar els enfrontaments al terreny estètic per arbitrar-los, catalitzar-los o desactivar-los: «en el medi del duel verbal, les declaracions radicals, la dissidència política i la crítica social són sancionades, animades, i es mantenen com a models per a les mesures correctives socials i polítiques. El sentiment general sembla ser que tot és just en el medi artístic» (Ibídem).

En ocasions, el paper de l'improvisador com a mediador en la resolució de conflictes travessa el pla virtual o simbòlic per a materialitzar-se en el pla real. Així li ho explicava el cantador de Lligallo del Gànguil (Baix Ebre) Francisco Roig Lo Noro (1905-2002), a Joan Josep Rovira (2002: 51-52):

> I me'n recordo que una vegada vam anar a cantar a una casa, i l'enteressat em va dir: «Ara anem a cantar a una casa, a un bar, que jo festejo en sa filla, però li han pegat dos o tres vegades, que no em volen a mi». [...] I me vaig ficar a cantar... Un criteri que em vaig fer jo. [...] Ve una atra dona, cantant jo, mentres estava parat, ve una dona i em diu: «A vore si li dius que lo que ella fa passar a sa filla ho han passat ells també. De fadrí a n'ell tampoc lo volien a casa». Lo cap meu me va donar un revoltilló i vaig agarrar un atre romb, i..., hasta d'última hora els vaig dir sinvergüences. Tu te'n recordes de quan venia el teu nòvio i ton pare t'amenaçava? Pos, ara tu ho fas passar a ta filla! Vatros, això és de no tindre vergonya. [...] I allavons va vindre un atre home i me va dir: «Dis-li que tal dia li va pegar baix d'un garrofer (que tenien la finca de l'hort junts), i baix del garrofer li va pegar dos galtades». Pos jo li ho vaig dir cantant! I, a les set setmanes, tinc una carta, que vaigue al casament. Ho has visto!.

L'anècdota és ben significativa, no només perquè l'il·lustra la funcionalitat del cant improvisat per tractar temes conflictius que no podrien ser abordats públicament de cap altra manera —no es toleraria una intromissió en la privacitat d'aquesta envergadura sense el salconduit ritual de la ronda—, sinó també perquè mostra el paper de l'improvisador com a portantveus de la comunitat que vehicula, a través de la cançó i amb la transcendència addicional que els aspectes formals li atorguen, el sentiment col·lectiu: el públic s'apropa al cantador i li proporciona arguments, li demana un to determinat, el fa posicionar-se a favor d'una de les parts i expressa, a través del seus versos, el que ha anat comentant d'amagat.

La mediació en el conflicte es pot dur fins i tot al pla més personal o íntim com revela aquesta cançó de pandero reportada per Valeri Serra i Boldú (1907[1982]: 55-56):

> Fadrinet, a casa nostra
> temps ha que no hi heu estat:
> no sé si ho fan les males llengües
> o la poca voluntat.
> Fadrinet, a casa nostra
> veniu-hi, que us hi volem:
> les males llengües mos costen
> un ramat de sentiments.

O aquesta altra recollida per Salvador Palomar a la Palma d'Ebre (2004: 25)

> Ai, jovenet, no en féu passos,
> no en féu passos per a mi,
> ja sabeu que els vostres pares,
> a mi, no em poden sofrir.
> Ells saben que, a mi, no em volen
> i jo no m'hi vull posar,
> que posada a casa vostra
> n'hi tindríeu malestar.

És clar que aquest desplaçament de l'esfera pública a la privada pot tenir com a conseqüència immediata el desplaçament del conflicte del pla simbòlic al pla real i acabar amb violència física. Ja ens ho prevenia la coneguda glosadora de Búger, Joana Serra *Cartera*:

> Ses gloses per anar bé
> han de parlar de picat

i es qui estigui delicat
que no surti en es carrer
(Lledó 1987: 25)

Alberto del Campo (2006: 211) explica una disputa entre dos *troveros* per una xicona en la venta del Viso, a l'Alpujarra, que va acabar a trets després d'aquest trovo darrer:

> *No te pases de la raya*
> *que se me enciende la sangre*
> *y si me pongo en batalla*
> *me cago en tu puta madre*
> *que te parió tan canalla.*

I a l'illa de Malta es guanyà una reputació intimidatòria la *sfida*, un desafiament on sovint l'hostilitat no és simulada, sinó real. El prestigi d'alguns cantadors rau en la seua ferocitat expressiva, i hi ha qui malda per mantenir-lo a qualsevol preu —enemistant-se per sempre amb un rival, per exemple. Així no és massa estrany que algun cantador s'excedesca escampant, mitjançant el cant, rumors i maledicències que impliquen altres cantadors: relacions extramatrimonials, afers familiars o laborals, etc. (Mifsud-Chircop 2005: 87).

Finalment, la cançó improvisada també ha sigut, i ho és encara, una ritualització de les frustracions socials i ha canalitzat moltes reivindicacions i denúncies al llarg de la seua història: des de la intifada Palestina que trobà una poderosa caixa de ressonància en clau interna a través dels versos improvisats del *zàjal*, a les albaes dels vaguistes en els primers conflictes obrers al País Valencià o les reivindicacions mineres de la Serra de la Unión a Cartagena:

> *Los mineros son leones*
> *que los bajan enjaulaos,*
> *trabajan entre peñones*
> *y allí mueren sepultaos*
> *dándole al rico millones.*
> (López 2006: 64)

En l'epígraf següent aprofundirem en aquesta funcionalitat de la cançó improvisada com a vehicle per expressar la protesta política o el descontentament social.

Transgressió

William Bascom, en l'article que citàvem al principi del capítol (1954), apuntava el que ell considerava «la paradoxa bàsica del folklore»: al mateix temps que juga un paper vital en la transmissió i el manteniment de les institucions d'una cultura i en forçar els individus a ajustar-s'hi, proveeix els mateixos individus amb eixides socialment aprovades per a les repressions que les institucions imposen sobre ells.

Efectivament, la transgressió és un mecanisme indispensable en el funcionament de qualsevol societat. Totes les societats reserven un espai per a la transgressió i aquesta rarament es presenta de forma espontània. Forma part d'un ritual periòdic que li serveix a la societat per a autoafirmar-se i autoregenerar-se.

Es tracta, per això, d'una transgressió il·lusòria per la seua naturalesa pactada i regulada pel mateix sistema que teòricament es subverteix. El pensador francés Georges Bataille (1997: 67) ho resumí amb una tesi que féu fortuna: «La transgressió no és la negació d'allò prohibit, sinó que ho supera i ho completa [...] No existeix cap prohibició que no puga ser transgredida. I, molt sovint, la transgressió es un fet admés, o fins i tot prescrit».

La cançó improvisada s'ha fet servir històricament com a instrument de transgressió social en el sentit que descrivien Bascom i Bataille: una vàlvula d'escapament que genera, per un temps limitat, una emancipació de les normes de control social i permet, d'una banda, evidenciar els límits d'allò prohibit i, d'altra, alliberar cíclicament les tensions acumulades pel sotmetiment als mecanismes repressors del sistema.

El potencial transgressor de la cançó improvisada resideix en tres fets complementaris: la seua excepcionalitat, la seua imprevisibilitat i el seu caràcter tradicional.

La cançó és al llenguatge, el mateix que la festa a la vida quotidiana: un canvi de sistema de referència que tolera unes llicències impensables fora d'ell. La mètrica, la rima, la música, els recursos retòrics, disfressen les paraules i alleugen la possible virulència del seu contingut que, en qualsevol cas, mai es presentarà amb la formulació directa del llenguatge ordinari.

La condició improvisada de la cançó actuarà, a més, com a eximent perquè s'elimina tot el component premeditat i es guanya la credibilitat del pensament espontani –sempre considerat més sincer i genuí.

Finalment, el caràcter tradicional de l'acció ritual en la qual s'executa la transgressió la dotarà d'un poderós aval col·lectiu: d'entrada l'improvisador accepta tàcitament l'ordre social establert en utilitzar per expressar-se un recurs tradicional. Les seues paraules eventualment subversives, per tant, van a irrompre implícitament legitimades pel vehicle amb el qual s'expressen: una melodia reconeguda pel grup com a pròpia, un ritual que ha exercit històricament una certa autoritat moral sobre la comunitat.

Com no podia ser d'altra manera, un dels motius principals en què el cançoner es fa servir amb voluntat transgressora, és el de les relacions sexuals i l'erotisme. La quantitat de cobles dedicades al tema és aclaparant —i encara ho seria més si els folkloristes pioners en la recollida no hagueren estat tan pudorosos.

L'erotisme palesa amb molta precisió el paper ambigu de la transgressió i exemplifica molt bé les teoritzacions de Bataille en el sentit que aquest donava a l'acte de transgredir: una forma de completar la prohibició; una experiència que no fa saltar els límits sinó que roman exactament sobre ells, fent-los més explícits.

El cançoner aborda l'erotisme i la sexualitat amb una llibertat que el llenguatge normal no permet: però es tracta d'un alliberament fictici. De la mateixa manera que el transvestisme generalitzat es reserva per al Carnestoltes, l'alliberament de les pulsions sexuals es deixa per al cançoner.

De fet, aquí tot comença amb la carnavalització del llenguatge: els òrgans genitals es disfressen d'animals, vegetals, instruments musicals o qualsevol altra metàfora poc dissimulada, com aquesta recollida a Campos (Mallorca):

> Molt m'agraden ses al·lotes
> una cosa no és de dir.
> A dins d'aquestes pilotes
> hi ha gent i vol sortir.
> (Janer 1980: 177)

I fins i tot es pot fer burla dels tabús i les mateixes prohibicions:

> Abantes de fer es pecat
> vaig complir sa penitènci'
> i amb molta de paciènci'
> l'hi vaig fer d'agenoiat.
> (Janer 1980: 94)

Les creences religioses, com en aquesta darrera glosa, també poden ser objecte d'escarni d'una forma que seria totalment intolerable en altres circumstàncies. Mireu, sinó, aquesta corranda escoltada a Josep Casadevall *Carolino,* corrandista de Folgueroles:

> I quina tita més llarga
> en deu fer l'Esperit Sant
> que en va embarassar la Verge
> des de dalt del cel estant.
> (Roviró 2005: 19)

La transgressió pot intensificar-se encara més si qui la protagonitza és una dona que expressa el seu desig sexual i pren la iniciativa:

> Sa meva poma ja raja
> ses voreres fan xoc-xoc
> i si t'estorbes un poc
> ho trobaràs fet formatge;
> dona-li prest es ferratge
> en aquest pobre conii
> afica'm prest es carnatge
> que si no me vui morí .
> (Janer 1980: 73)

O, fins i tot, es vanagloria d'haver-la pres, com en aquesta cobla escoltada a València:

> M'han dit que t'has alabat
> de tocar-me les mamelles.
> Més m'hauria d'alabar jo
> que t'he fet el piu a estelles.

Si allò sagrat és objecte de transgressió, els encarregats del seu govern i administració encara ho seran més. I, en aquest cas, la cançó improvisada no només reflectirà els corrents anticlericals populars, progressivament intensificats durant la segona meitat del segle XIX, sinó que contribuirà també notablement a donar-los forma.

Com molt bé anotava Joaquim Capdevila (2008: 294) en el seu estudi del fenomen a Catalunya, l'anticlericalisme popular té les seues arrels en dos factors:

d'una banda, el paper que fa l'Església de legitimació de l'estatus i prerrogatives de les classes benestants i de l'ordenació social en general i, de l'altra, la seua intromissió en l'esfera privada amb les privacions i restriccions que disposa en tot el relatiu al gaudi material i sensual.

La cançó improvisada canalitzarà la reacció al que s'entén, cada vegada més, com una imposició arbitrària i un exercici hipòcrita de doble moral. Una mostra il·lustrativa d'aquesta reacció és la glosa improvisada per Guillem Crespí *es Panderer* (1996: 27), glosador de Santa Margalida, quan tornant del camp de treballar a l'horabaixa escolta pels altaveus del campanar del poble, el res del rosari:

> Es vespre mos ne venim
> carregats de gra de s'era,
> qualcun per sa collonera
> duu un quintà de ventim.
> Ja basta lo que patim
> però encara hi afegim
> un subjecte que tenim
> que amb s'altaveu mos espera,
> i no sap bé sa caguera
> que mos fa quan el sentim.

Els cantadors tampoc s'han estalviat la denuncia de la manipulació dels veïns per banda de la institució eclesial, com palesa aquesta cobla recollida a Énguera (la Canal de Navarrés) per Antoni Guzman (2007: 55):

> *La iglesia es un comercio*
> *y el cura es un comerciante,*
> *cuando tocan las campanas,*
> *acuden los ignorantes.*

També les aventures sexuals de frares, bisbes i capellans han estat cantades en versos càustics i sorneguers. Vegeu, sinó, aquesta quinteta atribuïda al *trovero* d'Águilas Francisco Díaz *el Miope* i dedicada a un rector que no semblava predicar amb l'exemple:

> *Tú eres el cura más pillo*
> *de los que dicen sermones.*
> *Cuando vas a Algarrobillo*

la hostia entre los condones
la llevas en el bolsillo.

Algun glosador agosarat, s'atreví fins i tot a denunciar l'avinença d'Església i franquisme, com el mateix Panderer que adduíem adés:

En Franco és victoriós
i sa victòria ha guanyada,
sabeu a qui l'ha dada?
A capellans i senyors
i a n'es pobres conradors
que les fa entregar s'anyada
o a Can Mir, o penjau-vos.
Molta talent i poc pa,
molt de fred i poca roba,
quina pena passa un pobre,
amb sa raó que li sobra
i encara no pot xerrar.

(Crespí 1996: 24-25)

I no va ser l'únic que, arrecerat rere la llicència de la cançó, canalitzà tota la seua ràbia contra el règim amb versos improvisats. Pocs degueren assolir, tanmateix, la ferocitat i perfecció expressiva d'aquesta glosa obra del gran Sebastià Vidal *Sostre* (Cas Concos, 1888-1966):

Voldria plogués demà
pesta, ronya i garrotillo
damunt es cap d'es Caudillo
perquè aprengués a gratar;
i li fessin apuntar
a damunt cada llomillo
—en lloc de llapis, *cuchillo*—
es nom d'es que ha fet matar.

(Montserrat 1987: 18)

La faceta transgressora de la cançó improvisada no ha passat desapercebuda als mecanismes repressors del sistema, sempre amatents per restaurar la infranquejabilitat dels límits presumptament traspassats.

Entre aquests mecanismes destaca, per la seua solvència històrica, la Santa Inquisició. En efecte, a un expedient inquisitorial devem la primera notícia registrada dels glossats menorquins a principis del segle XVI la representació d'un *assunto* —així se'n diu a Menorca dels glosats teatralitzats on els glosadors encarnen personatges concrets— entre Jesucrist i un jueu que amenaça de matar-lo, opció que semblà escandalitzar el sant Ofici (Rosselló 1982: 81; *apud* Ayensa 2000: 360).

Fins i tot corre una glosa mitjançant la qual un glosador de Castell, va respondre l'inquisidor completant la seua pregunta, tal i com Marià Aguiló tingué ocasió de registrar (Massot 1993: 130).

> —Vos que sou En Ferriol?
> —Ell m'ho diuen devegades.
> som vengut feynes dexades
> per veure vosté que vol.

Tanmateix, no cal remuntar-nos tan lluny per observar com operen els ressorts de la coacció dissuasiva: l'any 2007, unes gloses de picat interpretades per Al-Mayurqa durant un concert a Pollença, motivaren la «condemna unànime» del ple municipal i una campanya de desprestigi del grup a la premsa conservadora de l'illa. El líder de la formació, Toni Roig, presentà una instància a l'ajuntament on justificava les gloses i es defensava de l'acusació d'haver insultat alguns noms ben coneguts de la política balear: «una expressió poètica popular mai pot esser un insult, sinó una forma de lluitar i demostrar als poderosos, als que governen, que estan equivocats o fan les coses malament». Que alguns dels qui se sentien insultats perquè les gloses els titllaven de corruptes, estiguen avui condemnats per corrupció evidencia, una vegada més, la capacitat de la glosa per cantar allò que no es pot dir, per tensar els límits d'allò prohibit i per exercir la justícia popular sense esperar a que la justícia oficial faça —o deixe de fer— el seu treball.

Entre la diversitat i la unicitat

La cançó improvisada es presenta arreu de la ribera mediterrània amb una riquíssima varietat formal però també amb una gran unitat en el fons. Una unitat que no només ateny a les diverses funcionalitats que hem exposat en l'apartat anterior, sinó també a les ocasions i els espais en els quals s'interpreta, al mode en què els poetes interactuen entre ells i amb el públic i al paper que hi juguen els altres elements que, juntament amb el text improvisat, acaben de configurar la cançó: melodia, acompanyament instrumental, gestualitat, etc.

Ritual

Ja hem dit en diverses ocasions que la cançó improvisada es presenta majoritàriament en forma d'acció ritual, és a dir, com a una seqüència ordenada, desplegada seguint uns formalismes prefixats i altament codificats que es desmarca de les rutines quotidianes i que posseeix una clara dimensió simbòlica.

La interpretació de la cançó improvisada pot constituir tot el ritual per ella mateixa o pot formar part integrant d'un ritual més ampli: ja hem comentat el cas de la *regueifa*, incorporada en els rituals de casament d'algunes comarques gallegues; però també les cançons de pandero de Catalunya, per exemple, es cantaven durant les captes de la confraria del Roser; i les patacades de Cadaqués formen part de la seqüència ritual de les festes de Sant Sebastià.

Aquest caràcter de la cançó improvisada es presenta fins i tot en espais que difícilment associaríem a l'acció ritual com la taverna, santuari de sociabilitat masculina i lloc vinculat al comportament espontani i desordenat, on la cançó improvisada troba un dels seus hàbitats naturals: encara avui ho és per al *spirtu pront* de Malta, l'*atişma* de Turquia o el *chjama e rispondi* de Còrsega. Fins ací arriba la càrrega ritual de les vetllades de cançó improvisada, amb els seus codis de participació, el seu caràcter competitiu i els seus elements formularis: per exemple, les primeres intervencions en forma de salutació, d'invocació d'allò sagrat —Déu, la Mare de Déu o els sants—, de mostra de respecte a les autoritats presents i d'autopresentació. Unes introduccions servides sovint amb to fatxenda i provocador, per incitar la batussa que seguirà d'immediat. Així es presentava, per exemple, el glosador Llorenç Capellà *Batle* (Llucmajor 1882-Algaida 1950):

> Jo som Batle i no duc vara,
> de llinatge Capellà:
> damunt es punt des glosar
> ningú me pot capturar;
> i es qui me capturarà
> ja no és nat ni neixerà,
> ni serà nodrit de mare.
> (Oliver 1982: 48 *apud* Serrà 1999: 11).

De vegades la presentació es fa amb l'estratègia contrària: emprant una modèstia impostada que busca guanyar-se la simpatia del públic, com en aquesta salutació del *trovero* Miguel García *Candiota*:

> *Aunque soy un hombre rudo*
> *que en los libros eminentes*
> *educarse nunca pudo,*
> *para todos los presentes*
> *traigo en el alma un saludo*
> (Criado-Ramos 1992: 294)

Si la cantada té lloc en forma de combat poètic entre dos o més improvisadors —la circumstància més habitual, com veurem de seguida—, les presentacions poden consistir en una simple provocació als contrincants, com il·lustra aquest inici d'una *serata* maltesa:

> —Et vaig reptar com a excel·lent cantador.
> Ací ningú té por de la teua veu
> perquè per a mostrar-la
> has hagut de venir a aquest carrer.
> —Jo he acceptat la invitació,
> la meua veu és forta i clara

i tot el veïnat m'ha d'escoltar
amb les seues orelles d'ase.
(Chircop 1993: 63)

El final de la vetllada es resoldrà amb fórmules semblants: els protagonistes s'acomiadaran disculpant-se de les possibles ofenses comeses per algun vers excessivament maliciós. En el cas del *spirtu pront* maltés, fins i tot es reserva una estrofa específica, la *kadenza*, per exposar les conclusions i fer el desgreuge consuetudinari: «*konna qed niċċajtaw*» —'fèiem broma' (Mifsud-Chircop 2005: 87).

El comiat també pot aprofitar-se per posar un punt i final jocós a una tanda de cobles o a un intercanvi de pulles entre poetes —un *revezo*, com diuen a l'Alpujarra.

La despedida daré
amb un cabàs de flaütes.
Si no ens veem ací,
ens vorem a ca les putes.

Punt i final que, en el cas dels combats de trovo murcians, no perd l'ocasió per rematar l'adversari. D'aquesta manera acomiadaven una vetlada de trovos a Santomera, David Castejón i José Travel *el Repuntín*:

REPUNTÍN: *De los versos que hemos hecho*
              he de destapar el tarro
              y aún sin rencor en mi pecho
              dejaré roto y maltrecho
              este ídolo de barro,
DAVID: *Calla, por Dios, Pepe, calla*
              sabes que conozco el paño
              y tan inferior metralla
              puede causar poco daño
              ante esta fuerte muralla.
(Serrano 2008: 220)

Aquestes fórmules de presentació i de comiat són imprescindibles per evidenciar l'entrada i l'eixida en un marc expressiu diferent del quotidià, governat per les seues pròpies regles tàcitament acceptades per tots els participants. Marquen els límits del nou ordre de realitat, reforcen la seua eficàcia simbòlica i, per tant, representen un paper clau en la seqüència ritual.

Es tracta, però, d'un ritual caracteritzat per un element singular on resideix bona part de la seua força comunicativa: la imprevisibilitat. La vetlada de cançó improvisada escapa així d'un dels trets essencials del ritu, tal i com el redefinien recentment Antoni Ariño i Sergi Gómez (2012: 25): «una categoria d'acció social que comporta repetició, formalisme, estereotípia, redundància i final prescrit. En tal mesura que en el ritu no hi ha lloc per a la incertesa i l'agonia d'allò inesperat».

En efecte, un dels recursos comunicatius fonamentals del repentisme és la captació de l'interés del públic a partir de la incertesa que genera la naturalesa improvisada del missatge cantat. Una tensió que, en aquest cas, forma part intrínseca del ritual.

Controvèrsia vs. comentari

La cançó improvisada sol interpretar-se en dos formats diferents: com a controvèrsia entre dos o més cantadors o com a comentari d'un de sol.

La controvèrsia és, de llarg, el format més estés per diverses raons.

D'una banda hi ha la necessitat, per part de l'improvisador, d'estímuls externs que exciten el seu enginy i pocs incentius trobarà millors que l'atac d'un rival o l'oportunitat d'enfonsar-lo retòricament. En el combat poètic, els contrincants s'inspiren mútuament en un exercici de «cooperació antagonista», per dir-ho amb la forma en què Maurizio Agamennone es referia als combats poètics en *ottava rima* de la Maremma italiana (2009: 71). I, a la fi, tots acaben participant de manera semblant en la creació del macropoema oral que acaba sent tota controvèrsia (Díaz Pimienta 2000: 205).

D'altra banda, el fet que un dels trets definitoris de la cançó improvisada siga la demostració d'habilitats per banda del cantador propicia la seua escenificació en un marc competitiu, amb guanyadors i perdedors, que obligue a esmolar la inventiva i a superar-se contínuament:

> Evaristet s'ha alabat
> en qüestió de les albades,
> i el Mujero li ha guanyat
> en totes les guitarrades.
>
> (Frechina 2001: 45)

Jean Christian Spahni

El trovo de la Alpujarra s'acompanya amb un grup instrumental format per guitarres i violins. La imatge mostra una festa de trovo en el Collado durant la dècada de 1950. La va prendre l'etnòleg suís Jean Christian Spahni per a publicar-la en el seu llibre La Alpujarra. La Andalucía secreta *(1959). Dret, darrere dels músics, hi ha el gran Miguel García* Candiota.

I finalment, hi ha les preferències del públic: la cançó improvisada és, al capdavall, un espectacle i es prioritzen tots els elements que puguen contribuir a fer-lo més atractiu.

Antoni Serrà (1997: 61-84) proposa una classificació d'aquestes controvèrsies populars en tres grans categories: la topada o escomesa fortuïta entre dos glosadors; la demanda, consistent en el plantejament i la resolució d'una dificultat, endevinalla o pregunta més o menys complicada —que es correspondria amb la requesta trobadoresca—; i el combat, la «tençó popular per antonomàsia» (ib. 1999b: 6).

La controvèrsia entre improvisadors rarament es dóna de forma espontània sinó que com dèiem adés constitueix una acció ritual o, com deia Miquel Sbert, «un acte de litúrgia civil».

El combat rep diverses denominacions en els distints territoris, però la majoria d'elles al·ludeixen a la seua naturalesa bel·licosa: a Mallorca s'anomenen gloses de picat o de *picadillo*; a Eivissa, cançons de porfedi; a Sardenya, *gare poetique* —'guerres de poesia'—; a les terres de l'Ebre, rinya; a Itàlia, *contrasto*; a Portugal, *improviso e despique*; a Malta, *botta u risposta* —'rèplica i contrarèplica'—; a Còrsega, *chjama e rispondi* —'crida i respon'—; a Xipre, *tsattismata* —paraula derivada del turc *çatmat* que significa disputar—; a Creta *kontaromahies* —'pelea amb pals'— o *drakarismata* —'xoc'—; etc.

A València l'intercanvi de cançons en controvèrsia s'ha anomenat històricament «tirar-se cudolets». Manuel Marzal (2009: 99-100) ho explicava així als seus apunts sobre el cant valencià: «Ja que València sempre ha tingut un orige i un caràcter llauradors, cançons com esta i com les altres del cant d'estil s'han usat sovint com a *cants a l'aire* per al conreu de la terra al ritme de la llaurança o altres faenes, i s'han prestat al noble entreteniment de tirar-se *cudolets* entre els hòmens del camp que treballaven no llunt u de l'altre; dits *cudolets* es denominen així per les intencions de les lletres dels cants ab que un cantador li retruca a l'altre».

El mateix Marzal (Ib. 17) reportava una cançó que al·ludia a aquest costum entre els dos primers grans noms del cant valencià que ens han arribat, Maravilla i Carabina:

> Maravilla i Carabina
> se tiraven codolets
> quan Maravilla caïa
> Carabina estava dret

Entre els atacs més recurrents hi ha la posada en dubte de l'ofici improvisador del rival, especialment quan es qüestiona l'originalitat o l'espontaneïtat dels seus versos. Així escometia el patriarca del trovo murcià David Castejón a Juan Boluda *Orenes* en una vetlada trovera a los Cubos (Oriola):

> *Antes de subir al coche*
> *sé que te habrás estudiado*
> *para hacer aquí el fantoche*
> *algo te traerás tramando*
> *para lucir aquí esta noche.*
>
> *[...] Sé que en tu pecho no anida*
> *nada en la improvisación;*

vas sin justicia y medida,
Juan, tú no tienes noción
de lo que es limpio en la vida.
(Serrano 2008: 209)

Tampoc s'estalvien burles o censures davant el bloqueig mental o la poca traça d'algun estirabot cantat:

Debaixeu la paelleta
que està dalt de lo terrat
i li fregirem la llengua
a eixe animal que ha cantat.
(recollida a Bèlgida, Oller 1951: 105)

Un caragol sense molla
aon ha vingut ha parar
que ascomença una cançó
i no la sap acabar.
(recollida a Castelló de Rugat, Oller 1951: 106)

Eixa cançó que tu cantes
me la passe per baix colçe,
si no saps cantar-ne altra,
corre que ta mare et bolque.
(recollida a Moixent, Seguí 1980: 614)

A Mallorca, una glosa frustrada —«morrió»— podria derivar en l'acusació de «morrioner» per al seu artífex:

Es qui és nat morrioner,
sempre sap fer morrions.
I qui és nat per fer cançons,
tota la vida en sap fer.
(Ginard 1966-75: II, 66)

Un mètode per forçar aquesta situació i deixar el contendent sense paraula és el que Serrà en la seua classificació anomenava demanda: un dels cantadors planteja un problema a l'altre per posar a prova la seua erudició, la seua rapidesa mental o la seua habilitat per eixir dels atzucacs retòrics. Es tracta d'un recurs que es remunta als mateixos orígens del gènere i que en alguns indrets ha tingut una gran implantació —a Cuba, per exemple, on aquestes controvèrsies de preguntes i respostes varen ser popularitzades durant la dècada de 1930 pels repentistes Santana i Limendú, no debades anomenats *cantadores del saber* (Orta 2000: 30).

José Labrador Herraiz (1974: 32 i ss.) caracteritzava tres tipologies de pregunta en un estudi sobre la poesia dialogada medieval: la pregunta tensonada —de contingut arbitrari—, la pregunta disjuntiva —que ofereix dos posicionaments morals antagònics— i l'endevinalla.

Els duels que mantenen els poetes de *zàjal* al Líban, per exemple, solen començar amb el plantejament d'una mena d'endevinalla o enigma per banda d'un dels dos contendents —el de major edat— que l'altre ha de resoldre fent servir el mateix metre i la mateixa rima —o, almenys, proporcionar una eixida enginyosa i tècnicament brillant—. Si no és capaç de fer-ho, ha de disculpar-se en vers per salvar aquest primer escull i continuar el duel (Haydar 1989: 203).

Són molt habituals les preguntes capcioses de resposta aparentment impossible, on la situació es capgira i el cantador, presumptament acorralat per la malícia inquisitiva del rival, en surt clarament vencedor en trobar una eixida més ocurrent que la mateixa pregunta.

Rafael Ginard (Ginard 1960: 117-118) descrivia així la topada entre dos glosadors mallorquins:

En Ferriol, pernejant, sortí amb aquesta indirecta a En Coní:

> Tu qui fas de primater
> i ets homo de fantasies,
> ¿ara, no m'explicaries
> un ase quants d'ossos té?

I En Coní, que no afreturava gens que l'afuassin, com a picat de taranta, va respondre:

> Cristo va morir a la creu,
> i jo sé s'hora i es dia.
> Però, poc me costaria
> escorxar-te, i sebre-hu.

Manuel Cárceles el Patiñero, *trovero murcià mestre de la controvèrsia.*

De vegades, la pregunta podia formular-se externament per algú del públic que volia posar a prova l'acudit de l'improvisador, com aquella ocasió en què l'Arxiduc Lluís Salvador li demanà a un glosador com es podrien posar dos forats dins d'un, a canvi d'una quartera de blat (Munar 2008: 94):

> D'allà on hi ha foc surt fum,
> a l'aire se'n sol anar;
> vosté em poria posar
> el seu nas dins es meu cul:
> serien dos forats dins un.
> Jo vaig a cercar es mul
> pes blat porer carregar.

Sovint per respondre amb èxit bastava amb saber esquivar la pregunta, com en aquest exemple que reportava William A. Christian Jr. en en un estudi sobre el cant improvisat —*bombas*— en les muntanyes occidentals de Cantàbria (2000: 408):

> *Cantador que cantas bien*
> *y te las das de cantar,*

dime, ¿cuántas plumas trae
un gallo a medio pelar?

Un gallo a medio pelar
yo no se las he contado,
no me llama la atención
animal tan dibujado.

En altres, el preguntat prenia la iniciativa i responia amb un atac personal com recollia Maria Jesús Ruiz (2000: 467) en el repertori dels *chacarrás* del Camp de Gibraltar:

Cantaor que tanto cantas
y te las das de canteta,
ahora me vas a decir
si las papas tienen tetas.

Si las papas no tienen tetas
es que Dios no se las ha dado,
tu novia sí que las tiene
porque yo se la(s) he tocado.

Si la disputa arriba, com en aquest cas, al terreny de l'atac personal o de l'insult, l'improvisador no pot ofendre's sinó contestar-lo hàbilment deixant en evidència l'autor.

Així ho feia Llorenç Capellà *Batle* en una coneguda imprecació —que prenem de (Munar 2009: 133), però havia recollit Gabriel Oliver *Biel Majoral* a la seua tesina de llicenciatura (1982: 46)— adreçada a un espectador que havia gosat insultar-lo:

Mal tenguéssiu es cervell
cuit dins una panada,
tota sa carn capolada
i sa sang dins un ribell;
ets ossos amb un martell
a dins un odre pitjada,
vos ne fessin un pastell

com a carn de sobrassada;
des lleu i de sa budellada
la vos vessin penjada
a ses banyes d'un vedell,
i de ses trinxes de pell
en fessin un cabestrell
per una bisti' baldada!

Valentina Pagliai (2009: 61-88) ha estudiat el paper de l'insult en els duels verbals de diverses cultures del món i ha comprovat com varia la seua percepció en funció dels condicionants culturals i de les circumstàncies en les quals s'expressa. Així, en els *contrasti* de la Toscana, resultarà molt més ofensiu si un dels participants insulta a un altre com a poeta que com a persona. En Turquia, si un *ashik* s'ofén per un insult és senyal d'incompetència artística (Erdener 1987: 144). En canvi, entre els *ghanneja* maltesos es consideren altament insultants les al·lusions familiars que podrien fàcilment desembocar en una *vendetta* (Watson 2011: 5). I en el ritual del *haló* dels Anlo-Ewes que viuen al sud de Togo i Benin, l'expectativa és que la facció insultada responga amb major virulència i, en els casos més extrems, recórrega inclús a l'agressió física (Avorgbedor 1994).

Per regla general, però, els insults s'expressen totalment condicionats pel ritual on s'inscriuen i estan sotmesos, per tant, al seus codis comunicatius i a les seues llicències expressives. Per això Rafael Ginard (1960: 98-99), relativitzava l'escalfor dels enfrontaments i n'insinuava el seu component teatral: «No hi ha brega de moixos més encrespada que les bregues dialèctiques entre glosadors. Devora elles, no hi fan part les lluites de gallets anglesos o de cans abraonats. [...] Se fan cançons de picat carregades de sal gruixada; no hi ha insult ni paraula lletja que no s'escupin al rostre; cada mot és un verdanc o un ram d'ortigues. Uns agravis inversemblants, exorbitants, desballestats i, per conseqüent, sospitosos».

La controvèrsia, efectivament, s'emmarca dins dels dominis difusos del joc: s'entén, com ja hem dit, que és un àmbit diferenciat de la quotidianitat, amb el seu propi ordre intern, on es permeten unes llibertats que no es permetrien en cap altre àmbit i on qualsevol atac personal no ha de prendre's a la valenta i ha de respondre's amb les mateixes armes: la contrarèplica cantada en el mateix moment o en qualsevol contesa futura. Comptat i debatut, la controvèrsia entre els cantadors no s'acaba mai, com li confessava el trovero de l'Alpujarra Miguel García *Candiota* a Alberto del Campo (2006: 297): «*es que esta Liga no tiene fin, no se gana nunca* [...] *Yo estoy condenao a estar toda la vida luchando y peleando con*

los demás troveros». Per això cal no dur les coses massa lluny i aprofitar les opor-
tunitats que brinda el ritual per restaurar els vincles personals que puga haver
erosionat l'esbatussó, com feia el glosador menorquí Jaume d'Alaior en acomia-
dar-se d'Andreu *es sereno de Migjorn*:

> Vamos, Andreu, perdonau,
> vós i tots els que aquí hi ha.
> Si de mi necessitau,
> no heu de fer més que manar:
> del meu cor teniu sa clau
> i poreu ubrir i tancar.
> (Serrà 1999: 13).

Hi ha una altra modalitat de duel verbal on els participants representen un
personatge concret o abstracte i defensen la seua posició amb el mateix enginy
i vehemència que si parlaren d'ells mateixos: dos polítics de partits enfrontats, el
patró i el dirigent sindical, un matrimoni en procés de separació, els joves i els
vells, el dia i la nit o els temps passats i el temps present. És una modalitat lúdica
que, en ocasions, pot prendre fins i tot un caire narratiu com ocorria amb els
anomenats *assuntos* que representaven els glosadors menorquins. Aquests duels
d'enfrontament de contraris han tingut —i tenen— molta vigència a la Itàlia
central, Sardenya o Múrcia, per citar-ne només uns pocs exemples.

Joan Amades (1951 [1982: 57]) recollia una darrera variant de la improvisa-
ció dialogada sense controvèrsia entre els participants que, en aquest cas, s'adre-
çaven a una tercera persona, víctima de les seues maledicents invectives: «dos ve-
ïns situats un a cada costat de la porta de casa del criticat, en veu ben alta perque
tothom els pogués sentir, sostenien un diàleg en vers en el qual obligadament
l'un preguntava i l'altre responia i afegia un nou concepte a la idea objecte de la
pregunta, la qual donava peu a una altra pregunta, plantejava un altre cas i situava
l'afer en un altre pla. Aquests diàlegs solien ésser intensament satírics i critics i
agudament mortificants. Mentre fossin en vers, cantussejats amb una melodia
gairebé no musical i fets de nit, llurs cantaires estaven immunitzats aparentment
contra tota acció del mortificat».

La forma més habitual en què es presenten aquests cants de crítica personal
és la de ronda nocturna —sense el format dialogal que documenta Amades— i
serien una de les modalitats principals d'allò que al principi de la secció ano-
menàvem «comentari».

Josep Vicent Frechina

El versador Francesc Nicasio, Paco de Faura, *dicta la cobla a cau d'orella al cantador Miquel Monteagudo, durant el Dia del Cant d'Estil 2013, València (l'Horta).*

LA CANÇÓ IMPROVISADA COM A FENOMEN CULTURAL

En aquesta tipologia de repentisme, un cantador, tot sol o acompanyat d'una secció instrumental, improvisa versos adreçats a persones presents, opinant sobre algun tema d'actualitat o responent a alguna sol·licitud plantejada pel públic. L'improvisador exerceix així la seua autoritat moral sobre el col·lectiu i exposa els seus pensaments sense els constrenyiments del duel verbal.

José Hernández posava el 1879 en boca del *gaucho* Martín Fierro, paradigma immortal del *payador* argentí, una declaració de principis que subscriurien molts improvisadors actuals:

> *Yo he conocido cantores*
> *que era un gusto el escuchar;*
> *mas no quieren opinar*

y se divierten cantando;
però yo canto opinando,
que es mi modo de cantar.
(vv. 61-66)

I encara

[...] *Siempre corta por lo blando*
el que busca lo siguro,
mas yo corto por lo duro,
y ansí he de seguir cortando.
(vv. 4812-4815)

D'aquesta manera reivindicava el cantador de jotes tortosines Josep Garcia *lo Canalero* (Roquetes, 1914-2004) el seu dret a expressar l'opinió cantant.

Que perdòniga la gent
de lo que jo puga cantar,
que estem en la democràcia,
tots tenim dret a parlar.
Cada u fem comentari
del món del modo que va.
(*Canalero-2* 1986, K7)

Amb aquesta modalitat de comentari es presenten habitualment gèneres com el cant d'estil i les albaes valencianes, les cançons de pandero i les corrandes catalanes, el garrotín de Lleida, les patacades de Cadaqués —per bé que ací hi pot haver un conat de diàleg entre els participants—, els trovos *animeros* murcians i, en general, tota la cançó improvisada en rondes de galanteig, ritus de pas o celebracions familiars.

Música

La música amb la qual es canten els texts improvisats guarda amb ells una relació de supeditació que, en funció de cada gènere en concret, es presenta amb una gradació diversíssima: des dels que amb prou feines es diferencia d'un recitat lleument cantussejat —com les formes sardes o italianes— a aquells altres en els quals la riquesa de la component musical acaba ben bé per anivellar la seua relació amb el text, com ocorre en el cant d'estil valencià.

Aquest component musical consisteix de vegades en una melodia fixa —modificada només fortuïtament per la immediatesa de l'execució— idèntica per a tots els cantadors, una melodia que permet un cert marge d'improvisació, una melodia que cada cantador ha individualitzat a partir de codis tradicionals, o un conjunt de melodies més o menys ampli entre les quals el cantador tria en cada ocasió la que més s'adiu al contingut del que vol cantar o a les seues afinitats estètiques. Menció a banda mereix, per la seua singularitat, el *cant a chiterra* sard on el que s'improvisa —dins d'uns patrons fixos, òbviament— és la melodia i el text es pren del rebost tradicional (Frechina 2012).

A la primera tipologia pertanyen el garrotín, el trovo de l'Alpujarra, el *chacarrà* del camp de Gibraltar, les nyacres de l'Empordà, el cant pagès pitiús o el glosat menorquí. Aquest darrer, amb una particularitat: com que la quantitat de versos de l'estrofa és variable, el cantador reconstrueix la melodia per adaptar les frases musicals al nombre de versos, en un exemple de flexibilitat melòdica molt alliçonador pel que fa al funcionament de la gramàtica cançonística en l'àmbit tradicional —i que també es pot resseguir en els cants de feines agrícoles, en algunes balades, en els romanços de cec, etc.

Amb la melodia parcialment improvisada, destaca el cant d'estil valencià on el cantador lluïx el seu virtuosisme vocal allargant el final de les frases cantades amb una elaborada ornamentació melismàtica —els requints— i modifica lleugerament la construcció de la melodia sense arribar mai a desfigurar-la el més mínim. És aquesta expressivitat vocal, particular de cada cantador, el que es denomina estil i li dóna el seu apel·latiu al gènere. El cantador compta, a més, amb quatre estils diferents per modificar el *pathos* de la seua interpretació anomenats, enigmàticament, u, u i dos, u i dotze i riberenca.

Al tercer grup, el de les melodies individualitzades, pertanyen les jotes tortosines o el glosat mallorquí: cada cantador ha pres un patró melòdic d'algun predecessor, l'ha adaptat al seu gust particular i ha acabat associant-lo al seu nom. Així es parla de jotes a l'estil de Canalero, de Teixidor, de Perot o de Bocadebou. De la mateixa matera que, només per la melodia, hom podia distingir el glosador Antoni Socias de Joan Planisi o de Rafel Roig des Carritxó. També ocorre el mateix amb la melodia de les corrandes catalanes, associades al lloc on s'interpreten o al darrer cantador que les ha popularitzades —per bé que açò pot haver-se produït molt recentment, dins dels processos de «tradicionalització» i «neofolklorització» que ha sofert el gènere (Frechina 2011b)—. Es parla, doncs, de corrandes de Carolino, en al·lusió al malnom del corrandista de Folgueroles Josep Casadevall, corrandes de Beget, etc.

Finalment, entre els gèneres que posseeixen un important stock melòdic a l'abast del cantador, destaca per damunt de tots el bertsolarisme basc. Joanito Dorronsoro n'ha computat dalt de tres milers de melodies diferents (Garzia 2005: 55), moltes de les quals han estat composades expressament per a algun bertsolari en particular.

En tots els casos, la música és un component del marc formal que autoritza moralment el que es diu i contribueix a crear l'ambient emocional propici per a que el missatge faça camí. Per tant, una interpretació desajustada desactivarà segurament el potencial comunicatiu del text i deslegitimarà el seu autor. Només cal escoltar el mestre dels glosadors menorquins Miquel Ametller per veure com la seua forma d'executar la glosa realitza l'operació contrària: la seua veu dura, afinada i bellíssima, la seua convicció expressiva i el seu cos lleument esverat doten el text que improvisa d'una transcendència que voreja la sacralitat.

Acompanyament

La diversitat que observem en el component musical de la cançó improvisada, augmenta encara més si atenem el seu acompanyament instrumental. Només en uns pocs gèneres —bertsolarisme, glosa mallorquina, *chjama e rispondi* cors— la cançó s'interpreta nua, amb l'única intervenció del cantador. El més habitual és acompanyar-lo amb algun instrument que li servesca de guia musical, òmpliga els silencis quan la meditació s'allargue una mica més del previst, reforçe el marc formal que li dóna legitimitat a la improvisació o, eventualment, com el tabal i la dolçaina en les albaes valencianes, complete la seqüència ritual amb la seua mediació.

Aquest acompanyament pot reduir-se a un simple instrument de percussió —ximbomba, tamborí, pandero— o a un conjunt instrumental més sofisticat com ocorre amb les rondalles mixtes de vent i corda del cant d'estil valencià o de les jotes de les terres de l'Ebre. S'acompanyen amb guitarra, la glosa menorquina, el garrotín o l'*spirtu pront* maltès; amb violí, el *tsiattisma* xipriota; amb concertina, les *cantigas ao desafio* de l'Alto Minho; i amb diversos instruments de corda i percussió, el trovo de l'Alpujarra o el *chacarrà* del camp de Gibraltar.

En alguns gèneres, el cantador s'acompanya també d'un cor que juga un paper essencial tant en el combat amb altres cantadors com en el reforçament del seu caràcter de «veu pública».

Saad Abdullah Sowayan, en el seu estudi dels dues poètics —*riddiyyi*— a la península aràbiga, subratlla la importància de la missió del cor (1989: 158). Durant el duel, cada poeta improvisa dos versos que el cor repeteix mentre s'acompanya de palmes, una acció que no només té l'òbvia funcionalitat de donar més temps al poeta per improvisar la seua intervenció —dos únics versos que han de venir carregats de substància per a que el duel no comence a decantar-se cap a l'adversari— sinó que proveeix al poeta de motivació i inspiració i li encomanen el seu entusiasme. Un d'ells li confessava: «el cor per a mi és com els neumàtics del cotxe. Tenir una llarga fila de bons cantadors és com tenir els neumàtics unflats. No tenir cantadors és dur les rodes punxades».

Una cosa semblant ocorre amb el *zàjal* libanés. El poeta, *qawwal*, viatja de poble en poble acompanyat d'una colla d'acompanyants partidaris anomenats *al-raddadah* que el recolzen en els seus duels amb altres *qawwals* i hi fan de cor repetint determinades línies cantades —per mantenir el poeta dins del metre musical escollit i donar-li una mica de temps per improvisar els següents versos—. També hi ha un cor que intervé en el cant improvisat palestí cantant les tornades i tocant palmes rítmicament. I en la cançó improvisada sarda, on la presència del cor, amb la seua característica polifonia *a tenore*, la connecta estèticament i simbòlica amb la resta del corpus cançonístic de l'illa.

Pot ocórrer que el cor es forme espontàniament entre els assistents a la cantada. És el cas de les corrandes, el garrotín, les nyacres o les patacades que disposen d'una tornada fàcil de reproduir. Això permet al públic participar amb un major grau d'implicació física i emocional i, com remarcava Jaume Ayats (2010) en la seua magnífica aproximació a les cançons de sant Antoni d'Artà, aquesta participació acaba d'atribuir a la cançó tota l'autoritat compartida que, «sustentada sobre una certa noció de «creació col·lectiva», protegeix l'enunciador com si fos un talismà».

Evidentment, repetir la tornada és una forma d'evidenciar l'acord amb el que s'ha cantat com tambe ho és, el riure obert, l'aplaudiment o el comentari d'aprovació —tots ells prohibits durant les *serate* malteses per no decantar el combat poètic cap un dels contendents i permesos només en acabar.

Certament, com anotava Antoni Serrà (1999b: 21): «els poetes que protagonitzaven el combat i els espectadors no formaven dues entitats separades, sinó que constituïen un grup organitzat, on tots tenien la seva responsabilitat en el resultat final de l'espectacle». Els participants no són receptors pasius: són tan experts en el ritual com els poetes i per tant influeixen decisivament en els continguts, la forma i el desenvolupament de la cantada: poden triar els tòpics, exhibeixen la seua aprovació o descontent, encoratgen o desencoratgen els poetes i memoritzen els moments dignes d'acabar formant part del patrimoni col·lectiu.

Versar i cantar

L'etnomusicòleg francès Bernard Lortat Jacob explica en les seues delicioses *Cròniques sardes* (1995: 4), com un seguidor de les guerres poètiques de Sardenya li deia: «una persona no pot estimar alhora la música i la poesia». La poesia cau en el domini de l'espirit; la música, en el de la carn. Per aquest personatge la música de la poesia cantada sarda era un element accidental: allò veritablement important era el sentit de les paraules.

I tenia part de raó. La cançó improvisada exigeix dos talents que molt sovint no poden concitar-se en la mateixa persona: cant i poesia. Per això en alguns indrets el versador d'ha escindit del cantador i formen un tàndem expressiu insòlit: el versador dicta a cau d'orella al cantador, vers per vers, el poema que ha de cantar.

Ho documentava a finals del segle xix el solleric Josep Rullan (Rullan 1895: 59; citat per Serrà 1996: 12), un dels primers en escriure sobre el fenomen dels glosadors: «alguns improvisadors que no tenien aptituds per a cantar, es feien acompanyar d'un cantador que cantava les cançons que ells li dictaven». Ara, però, és el que ocorre majoritàriament al cant valencià i al trovo del camp de Cartagena, amb una diferència substancial: al País Valencià, el cantador que no versa amb agilitat, s'acompanya d'un versador; a Cartagena, el versador que no canta bé o que no té bona veu, s'acompanya d'un cantador. La diferència va més enllà del joc de paraules: delata l'escala de valors que opera a dins del fenomen cultural. Els versadors valencians, tot i el seu indiscutible protagonisme en nits d'albaes i guitarraes, solen quedar en segon pla, encoberts pel virtuosisme vocal dels cantadors. Els cantadors cartageners, per contra, són l'instrument que els versadors utilitzen per a expressar-se. El versador Manuel Ortí *el tio Nelet*, només queda en la memòria dels aficionats més erudits, eclipsat per la figura dels cantadors amb qui coincidí: el Xiquet de Bétera, el Sardino, Victorieta, la Serrana, el Pollastre, Conxeta la del Mercat. L'ombra del trovero José Maria Marín oculta el record de tots els cantadors amb els quals s'acompanyà.

També a Creta és habitual que el cantador cante *mantinades* improvisades —o redactades— per altri: el *mantinadologos*. Com diu Venla Sykäri (2009: 104), és una creença comuna que la creativitat verbal y la musical rarament es poden donar en la mateixa persona. En aquest cas el mèrit del cantador no està en la creació de la versada *in situ* sinó en l'oportunitat del seu ús, l'encaix en el context on es canta. La investigadora finesa distingeix així entre improvisació textual i contextual, un concepte, aquest darrer, que podríem aplicar també a les ximbombades de sant Antoni i dels darrers dies de l'illa de Mallorca. Els participants disposen d'un rebost de cançons que en alguns casos ateny els cinc o sis centenars: l'habilitat en aquest cas, consistirà en triar la cançó adequada i adaptar-la a la situació. Amb aquesta perspicàcia ho analitzava Jaume Ayats (2010): «no hi ha creació textual en el sentit complet, però sí que hi ha creació a partir de refer allò que ja es coneix. En definitiva, un procediment creatiu molt més habitual. És l'habilitat de la citació oportuna, de saber en quin moment es pot adaptar el record històric de situacions semblants amb textos útils per a una circumstància precisa. [...] Les cançons citades en el moment oportú hi aporten una altra virtut decisiva: per elles mateixes transmeten la legitimitat d'allò que ja ha estat acceptat i ratificat en una situació semblant». Ací el que més se valora, doncs, és l'accés ràpid i encertat a un ben nodrit repertori. Es tracta, en definitiva, d'allò del que es vantava la coneguda cobla popular:

> Si em pose a cantar cançons
> vos en cante més de mil
> que les porte en la butxaca
> lligadetes en un fil.
>
> (recollida a Bèlgida, Oller 1951: 102)

Una gramàtica pròpia

Segurament ha sigut el cubà Alexis Díaz Pimienta qui més i millor ha reflexionat sobre la «gramàtica de la improvisació poètica» (1998, 2000, 2003). L'extraordinari repentista cubà partia dels treballs del lingüista nordamericà Noam Chomsky sobre el que s'anomenà gramàtica generativa —les regles que permeten convertir les idees en llenguatge estructurat— per aplicar-lo a la forma peculiar de llenguatge que constitueix la poesia oral improvisada. I si per al generativisme, la sintaxi era el centre d'operacions de la construcció lingüística, en aquest cas particular calia afegir, com a forces generatrius addicionals, la prosòdia i la rima que tenen un paper decisiu, no només a l'hora d'organitzar formalment el discurs, sinó en la mateixa fabricació de significat.

L'articulació bàsica de la cançó improvisada es basa en uns pocs elements estructurals.

El primer mòdul d'organització és el vers, anomenat mot a les Illes Balears, paraula al País Valencià i les Terres de l'Ebre i *vocablo* en alguns països sudamericans com Xile:

> De cançons de quatre mots
> molts n'hi ha que en saben fer.
> Ell s'ase d'es pareier
> s'atre dia en fé per tots.
> (DCVB, VII, 623)

El vers s'estructura sobre unitats rítmiques —dites caigudes a diversos indrets— coincidents molt sovint amb les síl·labes, però no necessàriament. Ben pocs improvisadors basteixen els versos fent recomptes síl·làbics: qui mana és el ritme del vers i el cantador ajustarà oralment la prosòdia per a que el text hi encaixe.

Els versos es disposen en estrofes d'extensió fixa o variable i no sempre concorden en nombre amb les frases musicals, per la qual cosa se n'han de repetir alguns; un recurs que, com veurem després, de vegades s'utilitza també amb intenció retòrica.

I, finalment, restaria com a darrer element orgànic essencial la rima, assonant o consonant, i distribuïda seguint uns pocs patrons concrets: des de la possibilitat més senzilla de la cobla aromançada (abcb) a la sofisticació tècnica de la dècima espinela (abbaaccddc).

Amb aquests principis estructurals, mentalment interioritzats i automatitzats, l'improvisador dóna forma al seu discurs davall la mirada atenta del públic que en censurarà expeditivament qualsevol violentació, perquè són justament aquests principis els garants de la seua credibilitat.

Hegemonia de l'heptasíl·lab

Sobta la preponderància, en la major part de la nostra àrea cultural més pròxima, de l'organització del vers improvisat en set caigudes. Així ocorre en pràcticament tots els gèneres de cançó improvisada en català, en la totalitat de l'àmbit hispànic, en Malta, en Còrsega i, en certa mida, en Creta i en Xipre. Només el cas de l'*ottava rima* de la Itàlia central —escandida sobre decasíl·labs— i de la poesia improvisada sarda —que compta amb diverses variants, però cap d'elles septenària— escapen a aquesta norma.

No disposem en català d'estudis de mètrica de la profunditat i sistematització de què disposa el castellà, l'italià o l'occità i per tant, hem de recórrer a aquests per transferir-ne algunes conclusions interessants.

L'octosíl·lab castellà, equivalent a l'heptasíl·lab català,[1] ha estat definit com la respiració natural de l'idioma, ja en una data tan reculada com 1660 quan Juan Caramuel al seu *Primus Calamus* escrivia «*todos los versos son hijos del arte, menos el octosílabo, que lo es de la naturaleza*» (citat per Saavedra 1945: 65). Molt més tard el fonetista manxec Tomàs Navarro substituí la intuïció dels erudits per una metodologia científica amb la qual demostrà que les frases octosil·làbiques són les que millor encaixen en la corba melòdica de l'entonació espanyola (Navarro 1974: 24-31). L'octosíl·lab constituiria, doncs, una agrupació fònica elemental i d'ací vindria la seua abundància, no només en la poesia popular i en la cançó —es documenta ja a les *kharjes*—, sinó també en la literatura escrita —és el més freqüent en el teatre

---

[1]   Com és sabut, l'occità, el català i el francés fan el còmput sil·làbic del vers respecte a la darrera síl·laba accentuada, mentre que el castellà i l'italià compten una síl·laba més darrere de l'última tònica.

clàssic espanyol— la fraseologia i fins i tot, en el llenguatge en prosa. Seguint esta línia de pensament, el semiòtic argentí Raúl Dorra (1997: 49-50) acaba configurant una teoria general de la quarteta ben suggeridora pel que té de complement a les propostes d'estructuració fònica elaborades per Navarro i de discrepància amb el discurs únic que assevera el seu origen baladístic —la quarteta, segons aquesta hipòtesi, s'hauria escindit de la balada en algun moment indeterminat. Dorra comença la seua argumentació establint la mínima unitat prosòdica en un cicle de dos temps octosil·làbics, unitat que la quarteta duplicaria per a poder encabir-hi més contingut:

> *La unidad rítmica mínima de la entonación oral tiende a organizarse, pues, como un ciclo de dos tiempos. Esa es la estructura del refrán o la sentencia, el enunciado puramente aseverativo que está en la base de la sabiduría oral.*
>
> *[...] Si el enunciado aseverativo, sentencioso, tiene una capacidad de contracción que le basta la duración de una sola unidad prosòdica («No por mucho madrugar / amanece más temprano), el enunciado lírico, que expone el más complejo ritmo de los afectos, necesita duplicar esa unidad.*

La prova d'aquesta duplicació rauria en el fet que la majoria de quartetes es poden dividir en dues unitats de so —amb la rima assonant com a vincle— i de sentit ensems.

L'hegemonia de l'heptasíl·lab en la poesia tradicional catalana ha estat atribuïda eventualment a la influència castellana, un corrent d'opinió que inaugurà Milà i Fontanals i que es propaga després, de forma bastant acrítica, en tota la literatura posterior.

Així, per exemple, ho exposava Pere Bohigas (1983 :14): «L'assonància única és molt més constant ací que no pas a França o al nord d'Itàlia: i el mateix es pot dir de l'abundor de l'heptasíl·lab trocaic (octosíl·lab castellà), més freqüent a Catalunya que l'alexandrí, el decasíl·lab èpic francès o el vers de cinc síl·labes. Aquest fet és una prova palesa d'influència espanyola, la qual cosa no ens ha d'estranyar, perquè coincideix l'època més important de producció del romancer castellà amb el començament de la castellanització de Catalunya».

Tanmateix, el propi Milà i Fontanals (1853: 91), mostrava alguna reticència a admetre una influència unívoca des de la tradició castellana: «*La semejanza y giros poéticos no es tanta que no sepa reducir buena parte de ella á las comunes analogías del antiguo genero; el asonante debió nacer aquí como allí del antiguo sistema de versificación monorrima, y el octosílabo si no es tan essencial á la frase catalana como á la castellana, en manera alguna repugna á la primera, existiendo de la época provenzal algunos versos con el aire y el brio de nuestras redondillas nacionales*».

Caldria, però, algun estudi global més ambiciós que aprofundira en aquestes estructures rítmiques i en la seua diversa jerarquia territorial: tinc la impressió que en aquest camp ens trobem encara en un nivell molt superficial de coneixement que no ens permet extreure tot el suc que en deriva.

Estrofa

Pel que fa a l'organització estròfica, la diversitat és molt major.

L'estrofa bàsica més repetida és la quarteta, predominant en les cançons tradicionalitzades —aquelles que han quedat en la memòria popular—, per bé que, amb el temps, s'ha tendit a l'increment en el nombre de versos, en alguns casos per ajustar-se al nombre de frases musicals i, en general, per augmentar la complexitat tècnica de la improvisació, introduir més contingut i reforçar l'efecte sorpresa en eliminar-ne le repeticions.

Així, conserven l'estructura de quarteta les corrandes, el garrotín, les nyacres, les patacades, els trovos de pasqües, ànimes i aguilandos que canten les quadrilles murcianes, el *chacarrà* del camp de Gibraltar o la *g͟hanja* de l'*spirtu pront* maltés. I les *mantinades* cretenques són dístics de quinze síl·labes que, en certa mida, podrien fer-se equivaler també a una quarteta hepsil·làbica.

Han augmentat els seus versos a cinc el cant d'estil i les albaes valencianes, i el trovo de l'Alpujarra, el de la serra minera de la Unión i el Camp de Cartagena i el d'Almeria —territoris on també ha penetrat amb força desigual la dècima. Es diu que fou Perot qui augmentà el nombre de paraules de la jota tortosina fins a sis, per fer-les coincidir amb les frases musicals. L'octeta es l'estrofa preferida a Itàlia i Sardenya i la dècima a Canàries i tota Llatinoamèrica —fins el punt que se'n diu dècima d'estrofes amb qualsevol nombre de versos.

A Mallorca i Menorca, l'improvisador compta amb un importat aliat en la flexibilitat estròfica: a la gran de les Balears l'estrofa oscil·la entre els quatre i els dotze mots —en nombre sempre parell— amb dues rimes consonants en combinació lliure, mentre que a la petita el patró base és el de sis mots —amb rima ABBAAB— però se'n troben de set, vuit, deu i dotze amb les dues rimes consonants combinades també de formes molt diverses.

Quan el nombre de frases musicals no coincideix amb el de versos, cal repetir-ne alguns, fet que es pot aprofitar per posar èmfasi en alguna idea en particular o per captar l'atenció del públic gràcies al seu efecte sorpresiu —per exemple, començant la cançó pel segon vers, la possible manca d'il·lació del qual desperta la curiositat de l'audiència:

> I no portaria nyenya,
> tots em dien que em casara
> i no portaria nyenya
> Ara que ja m'he casat,
> en porte al coll i a l'esquena.
> Tots em dien que em casara.

Aquestes repeticions es donen, per exemple, en tots els gèneres pertanyents a la gran família del fandango —el *chacarrà*, el trovo andalús i murcià o els cants per la de l'u valencians— que posseix sis frases musicals, amb la qual cosa cal repetir un vers de la quinteta. El mateix ocorre amb les albaes que tenen també sis frases musicals. I en l'u i dos i l'u i dotze del cant d'estil valencià, amb set frases musicals, se n'han de repetir dos, de versos.

On es porta, però, aquesta operació a uns extrems d'enginyeria lingüística absolutament espaterrants és al *mutetu longo* sard (Zedda 2009). El *mutetu* és un dels quatre gèneres de cançó improvisada coexistents a Sardenya. Es practica en la meitat meridional de l'illa, en l'àrea del Campidano. La seua estructura orgànica consta de dos parts: una presentació inicial, anomenada *sterrina*, de caràcter narratiu i temàtica històrica o al·legòrica, que sol tenir vuit, nou o deu versos; i un dístic que conté el nus argumental amb què el *cantadori* manté el duel amb la resta de participants en la cantada i que es diu *cubertantza*. El ordre de les paraules del dístic governa l'ordre dels versos de la *sterrina*, perquè aquesta estructura es desenvolupa després en un seguit de quartetes on es recombinen els versos de totes dues d'una forma molt complexa i tancada —un recurs formal anomenat *torrada*—. Vegem-ho amb un exemple extret d'una gara poètica celebrada el 1907 on un dels introductors d'aquest model d'estructura expressiva, Efisio Loni, de Montserrato, ataca un altre *cantadori* reticent a adoptar-la (Bravi 2009: 74). Destaquem en subratllat els versos de la *cubertantza*:

Sa poesia nosta	La nostra poesia
Tenit diversa manera	té una manera diferent [de fer-se]
E su mutetu nostu est fatu	El nostre mutetu es fa
Mellus de s'intzoru siguru	El millor del seu segur

No nc'est dubiu alcunu	No hi ha cap mena de dubte
Est in regula est in basi	Es basa en la regla
E si bolint si ddus imparu	I si vol jo li l'ensenye
Sentza de mi cumpentzai	sense que em dóne una compensació.
Bastat ringraziaimì	Basta amb que m'ho agraesca

Sa poesia nosta
Torrai crasi puru, ma cun dentiera   Torne demà, però amb la dentadura
Ca si preparu unu pratu aposta   que li prepararé un plat a posta.
Tenit diversa manera

Tenit diversa manera
Ca si aposta preparu unu pratu
Torrau crasi puru, ma cun dentiera
E su mutetu nostu est fatu

E su muteu nostu est fatu
Ma cun dentiera, torrau crasi puru
Ca si aposta preparu unu pratu
Mellus de s'intzoru siguru
etc.

Com es veu, l'ordre de les paraules de la *cubertantza* es va alterant per a que rimen amb cadascun dels versos de *l'sterrina* seguint una seqüència estricta: es comença per la darrera paraula del segon vers —*aposta*— i es continua per la darrera del primer —*dentiera*—; a continuació la penúltima del segon —*pratu*— i la penúltima del primer —*puru*— i així successivament.

El fet que, com hem dit, els poetes debaten ben bé exclusivament el contingut del dístic, que només és cantat en el seu ordre lògic una vegada i el context del qual es deconstrueix en tantes quartetes com paraules continga, dilata el diàleg —i el temps— d'una forma profunda i dóna una prevalença singular a l'eufonia —el plaer estètic del so—, ja que la majoria de quartetes careixen de lògica semàntica i operen en un nivell significatiu més pròxim al de la música que al dels discursos verbals. Una prova més de la complexitat expressiva de la cançó improvisada que es resisteix a una anàlisi independent dels seus constituents poètics, musicals i performatius perquè construeix significats a partir de l'acció conjunta de tot plegat.

El procés mental

Tornem a Alexis Díaz Pimienta per a examinar de prop com funciona el procés mental de construcció de la cançó improvisada. Segons el repentista cubà (1998: 197-198), «*en los segundos previos a la interpretación del texto, en el momento justo de la creación improvisada, el poeta repentista selecciona y desecha las imágenes según se ajusten o no a esta necesidad técnica del repentismo, o, en última instancia, y según su capacidad y su habilidad creadora, octosilabiza aquéllas que cree mejores, aunque para ello tenga que violentar un poco la sintaxis o echar mano a rellenos silábicos o 'ripios'*».

Díaz Pimienta distingeix tres fases en el procés creatiu (2003: 82-83): una primera on l'improvisador fa la tria de què vol dir i dos posteriors, consecutives o simultànies, en què metrifica les idees seguint el patró rítmic que correspongua i oralitza el missatge —completant els versos amb adjectius prescindibles, utilitzant motlles preestablerts, afegint o ometent connectors— per començar-lo a cantar.

Alberto del Campo (2006: 413) ha observat en el trovo de l'Alpujarra una estructura repetitiva pel que fa al paper que té cada vers dins de l'estrofa, en una anàlisi que es podria estendre a altres gèneres improvisats:

> *Si se observan las coplas aisladamente, se nota una similar estructura significativa en cada uno de los versos: el primero sirve usualmente de llamada de atención y presentación. Irrumpe con fuerza pero pocas veces anticipa el sentido de la quintilla. El segundo es quizá el más banal de todos y una vez captada la atención del público, lo relaja. El tercero es clave para los más entendidos, puesto que ha de preparar los dos últimos que encierran el mensaje. El cuarto suele buscar la expectación a través de una contradicción, una pregunta, una insinuación, una paradoja que el último verso viene a despejar. Ése es la auténtica explosión cómica de la copla. Encierra la pregunta o la respuesta, la moraleja, la explicación, la resolución del enigma, o bien propone otro desafío.*

En efecte, la majoria de tradicions improvisadores aconsellen començar la construcció de l'estrofa pel darrer vers, el que portarà el pes específic en el significat que es vol comunicar i alliberarà la tensió que el bon poeta crearà en els versos precedents. Així ens ho explicava el glosador mallorquí Mateu *Xurí* en una entrevista recent (Frechina 2013: 68):

> En una glosa allò bàsic que has de tenir és sa idea final; normalment, es dos darrers versos. Sa contundència se mostra en es final de sa glosa. Pot passar que comencis sense ell, per mor des temps; però normalment el tens

i quan més tancat sigui, millor. Hi juguen molts de factors. Es glosador és associatiu, va associant idees i té automatismes creats: sa mètrica heptasil·làbica, sa rima... Té agrupades ses paraules per terminacions i a més per camps semàntics o per paraules comunes. Hi ha paraules que poden encabir-se en qualsevol glosa: «emoció», per exemple. I altres que són molt específiques i que es fan servir ocasionalment. Després només has d'arribar a aquell final que has previst donant sentit i fluïdesa a sa composició.

Tanmateix, en territoris de versificació més complexa, la tècnica constructiva pot variar sensiblement: un *cantadori* sard, començarà el *mutetu* per la *cubertantza*, el dístic on expressa la idea principal; els *poeti a braccio* de la Toscana solen iniciar la construcció de l'octava pels versos quart o sisé; i és possible que en el fragor del combat, qualsevol improvisador es llance a tomba oberta pensant els versos en el seu ordre correlatiu a mesura que els canta, confiat que l'ofici i el poder magnètic de la rima el duguen a bon port. És allò que Díaz Pimienta (2013) explica en la seua «*teoría del tobogán*»:

> *Como ya hemos dicho, muchas veces el trabajo del improvisador poético, una vez que domina la estrofa y tiene fijados sus moldes (prosodia y estructura) responde más al impulso acústico y al imperativo sintáctico que a la estructuración consciente del poema. Es lo que sucede, por ejemplo, en la improvisación hablada, o en la seguidilla cubana cantada a ritmo acelerado. El poeta, ya «subido» en el ritmo y en la estrofa, se «deja caer» como si estuviera trepado a un tobogán lingüístico, estrófico, se deja caer y se desliza por el texto oral, agarrado con fuerza a sus dos bordes: el rítmico (versos octosílabos y estructura abba.ac.cddc) y el homofónico (rimas consonantes); agarrado con fuerza a estos «límites» (que a la vez le señalan el camino y le evitan salirse del tobogán, caer al vacío) el improvisador deja fluir el pensamiento, «cierra los ojos» y se deja guiar por una estructura fija, predeterminada e inamovible, algo que a la vez funciona como dificultad y garantía, como resorte creativo.*

Aquesta teoría potser contradiu una de les seues sentències més firmes (2000: 205) —el decimista no pensa i parla en octosíl·labs sinó octosil·labitza tot allò que pensa i parla—, però coincideix amb un sentiment compartit per improvisadors de tot el món: la submissió del pensament a les estructures poètiques que fa que, hores després d'haver acabat la cantada, el cervell seguesca funcionant amb les pautes estructurals del vers fins a convertir-se en una molesta obsessió. Així li ho explicava el glosador menorquí Miquel Ametller a Llúcia Pons (2005:14): «Quan arrib a sa casa [després d'un glosat] en tenc per una hora; em tanc a l'estudi, encenc la tele i allò a poc a poc se'n va, perquè si em pos en quietud, me'n vénen i me'n vénen, i sembla una font inacabable. Jo no sé fins on podria aguantar jo».

La relació de l'improvisador amb el seu procés creatiu, i la dèria en què aquest desemboca, ha quedat fixada en versos de gran volada i constitueix un dels tòpics recurrents de la dècima improvisada, com certament ja va assenyalar Maximiano Trapero en un dels treballs fundacionals de l'estudi de la improvisació poètica hispànica (1996: 124). Amb aquesta dècima genial, per exemple, descrivia Alexis Díaz Pimienta (2000: 213) una sensació semblant a l'explicada per Ametller:

> En líricos universos
> si un trobero se revienta
> ¿alguien ha tenido en cuenta
> que se embarrarà de versos?
> ¡No saben cuantos esfuerzos
> hay que hacer en la colada
> para que no quede nada
> de lo que les caiga encima.
> Y después no huela a rima
> la ropa recién lavada!

L'anàlisi del procés creatiu, però, restaria incomplet sinó subratllàrem, una vegada més, la importància del paper que hi juga la música. La música constitueix el carril del tobogan a què al·ludia Díaz Pimienta: situa l'improvisador en el context de la creació poètica, li marca el ritme del vers i actua com a un utilíssim recurs mnemotècnic fins el punt que molts d'ells són incapaços d'improvisar sense l'ajuda de la melodia. Així li ho confessava el glossador des Migjorn Gran Pedro Seguí *l'amo de Biniguardó* a Aina Tur (2013: 43): «Tenir acudit no és difícil, surten tots sols. Només has de sentit sa guiterra, perquè es sa guiterra que fa sa cançó. Sa tonada te du». La tonada habilita el rebost d'esquemes mentals i lingüístics, activa la inspiració i catalitza la construcció de l'estrofa, mentre la resta de mecanismes creatius completa l'obra.

Recursos formals

Els estudis de Milman Parry i Albert Lord al voltant de la poesia èpica dels guslaris serbis els va permetre ratificar la seua teoria sobre la composició oral formular que, segons ells, es trobava en l'arrel dels versos d'Homer. Aquesta teoria sosté que els poemes èpics tradicionals mai van tenir un text definitiu sinó que eren parcialment improvisats pel bard que els recitava a partir del reposítori d'estructures narratives i lingüístiques custodiades a la seua memòria. *The Singer of Tales*, publicat per Lord el 1960 —Parry havia mort molts anys abans a causa d'un tir accidental— és l'obra clàssica d'aquest model interpretatiu que, tot i haver estat qüestionat o matisat en reiterades ocasions, continua en plena vigència i es fàcilment aplicable a la improvisació cantada.

Efectivament, una anàlisi detingut de qualsevol de les tradicions que il·lustren aquest volum ens permetrà identificar l'ús reiterat de fòrmules verbals que el versador manipula en cada intervenció per adaptar-les a les necessitats expressives del moment. Aquest fet ja havia estat percebut per Rafel Ginard (1960: 97) en la improvisació dels glosadors mallorquins: «Tenien motlles fets i se n'empraven. Era molt just. Disposaven d'una sèrie de fòrmules, tòpics, llocs comuns, i ho variaven segons les circumstàncies».

L'aspecte més habitual en què es presenten aquests motlles és com a versos ja metrificats que, a més de servir de punt de partida o de crossa en la qual recolzar-se, evidencien l'aval de la tradició en mostrar obertament codis compartits i acceptats. Es tracta de versos d'aparença semàntica pobra, que semblen mer complement retòric —l'excipient, que en diu el versador valencià Josemi Sánchez— però que poden acabar sent balises de legitimitat: és a dir, no només actuen com a farciment que permet guanyar temps i enfocar l'esforç de l'improvisador en els versos restants sinó que, a més, actuen com a «marcadors tradicionals» en un àmbit on l'ús de metàfores i metonímies «pactades», elements connotatius i sobreentesos còmplices són absolutament fonamentals.

Si volen saber senyors
a la Cava què ha passat,
s'han comprat moltes amotos
i ningú les ha pagat.
(La Cava)

Si volen saber, senyores,
el que vol el meu rosí:
que s'acaben les albaes
per anar-nos-en a dormir.
(Alaquàs)

Si volen saber, senyores
de quin color és la pena
vagen-se a treballar
i deixen-se la berena.
(Bocairent)

De vegades el complement de la idea principal es serveix en forma de mòdul metrificat que no guarda una relació explícita amb la resta de la cobla, fet que podria tenir-se per accidental —fruit de la urgència del moment— però que es dóna amb una freqüència suficient per considerar-lo premeditat. Aquesta juxtaposició de dues imatges o fragments sense un vincle evident —parataxi, se n'ha dit d'aital recurs literari—, obliga els oients a trobar les connexions que no s'han explicitat i introdueix un element d'incongruència desconcertant que s'utilitza clarament amb voluntat retòrica.

Es revells tornen uiastres,
i ets uiastres, oliveres.
Si em toques ses coioneres
tocaràs dues banastres.
(Janer 1979: 174)

Es revells tornen uiastres,
m'ho va dir un garriguer.
Però en quant a ses madrastres,
venturós és qui no en té.
(Ginard 1966-75: III, 410)

Com es veu en els dos exemples adduïts, tots dos recollits a Mallorca, els dos primers versos tenen una funcionalitat ben específica, més enllà de completar la peça: transferir la seua veritat inapel·lable a l'opinió expressada en els dos darrers.

Els glosadors mallorquins utilitzaven encara un altre recurs que, si bé no reduïa el còmput sil·làbic dels versos, permetia guanyar algun segon de més en la seua confecció: iniciaven l'enunciació del vers modulant una llarga interjecció «i» que potser també els servia per estabilitzar l'afinació. D'això se n'ha dit, una mica despectivament —sobretot si el glosador abusava en el seu ús — «inetjar». Rafel Ginard (1960: 104-106) atorgava a aquest costum uns orígens bíblics i Eusebi Ayensa (1997: 91) el documentava entre els piitàrides xipriotes—en aquest cas, una llarga «e»—. Tambe els *cantadoris* sards que participen en la *gara a mutos* utilitzen un recurs semblant: una «e» ocasional al principi d'alguns versos (Bravi 2011: 204)

A més de l'ús reiterat d'elements formulars, els improvisadors utilitzen molts altres recursos retòrics, alguns dels quals obeeixen a necessitats constructives del vers —especialment hipérbatons i elisions forçades per la rima— i altres es fan servir com a poderosos instruments de mediació expressiva. En aquest sentit és primordial el domini de la ironia en totes les seues formes i variants: l'improvisador sempre intenta donar a entendre molt més del que diu perquè es troba vorejant els contorns d'allò permés i molt sovint arriba al clímax comunicatiu quan els supera amb enginy.

La ironia, a més de tenir efectes desarmants sobre l'adversari, reforça la complicitat de l'improvisador amb el públic perquè el seu ús eficaç exigeix l'existència d'un coneixement compartit que aquest ha d'inferir. Censures que semblen elogis, lloances en forma de blasme, eufemismes burlescos o exageracions sornegueres, han de ser descodificades per extreure el seu significat latent: l'improvisador necessita, doncs, la·reacció del públic per a fer-les efectives. D'aquesta manera el fa partícip de la seua posició front al rival, de les seues transgressions de la norma, de les seues opinions i les seues sentències.

La veu individual

Una de les figures clau del *folk revival* britànic durant la dècada de 1950, A. L. Lloyd, afirmava (1975: 74): «el famós anonimat de les cançons populars és, bàsicament, un accident econòmic i social».

Certament l'herència del Romanticisme ha marcat una empremta profunda en la percepció del cançoner popular que hauria nascut, segons la seua visió, per generació espontània des de l'ànima dels pobles.

La ideologia romàntica partia d'un plantejament trencador i altament humanista —l'existència d'una altra cultura distinta a l'hegemònica o oficial— i de tres malentesos metodològics: l'aplicació de conceptes propis de la literatura escrita a la creació oral —autoria, per exemple—; l'omissió dels individus en la invenció de la idea de poble; i l'establiment, en un horitzó mític temporalment indefinit, d'un estadi col·lectiu de puresa creadora d'on haurien sorgit les bases del patrimoni artístic popular.

El poble, però, malgrat els esforços retòrics de l'època, no era una essència difusa mancada de sentit històric i social, sinó la suma d'uns homes i dones concrets condemnats a l'anonimat de què parlava Lloyd precisament per la seua pertanyença al «poble».

La figura de l'improvisador no acabava d'encaixar en el relat romàntic perquè posava en evidència la importància de la creació individual enfront de la suposada fundació unànime de la cultura.

Aleshores començà a conformar-se un discurs paral·lel que ha arribat fins els nostres dies: resulta meravellós que homes i dones analfabets siguen capaços de facturar espontàniament tots aqueixos versos. Es tracta, no cal dir-ho, d'una apreciació paternalista de la cultura popular, que sobrevalora el pes de l'escola en la formació d'unes habilitats que difícilment hauria pogut ensenyar. És una admiració que naix des d'un sentiment implícit de superioritat: no s'admira tant que facen versos, sinó que ho facen sent «incults».

Part d'aquest capteniment el podem trobar en la descripció que feia dels glosadors mallorquins Rafel Ginard (1960: 89):

Aureli Castelló

Josep Casadevall Carolino, *corrandista de Folgueroles (Osona) que dóna nom a un estil de corrandes. Ací el veiem cantant-les amb Brillant, un improvisador de la darrera fornada.*

...homes d'estament humil, sense lletres [...] il·literats però vius de potències, observadors dels fenòmens naturals, coneixedors de la vida i del llenguatge, de contestes ràpides i afuades, d'acudits i sortides desconcertants, amb gran sentit de l'humor i amb un important bagatge de coneixements religiosos i històrics adquirits a través dels sermons àvidament escoltats i fidelment retinguts. Homes meditatius d'una memòria prodigiosa acrescuda amb l'exercici.

Molt diferent era la consideració que tenien els versadors entre els seus paisans. La seua capacitat infundia un respecte temerós i fascinat: se'ls tenia per persones investides amb un do quasi diví i d'alguns, fins i tot, se sospitava que podien tenir poders sobrenaturals. El cantador de Sant Jaume d'Enveja Francesc Balagué *Boca de bou* o el glosador de Marratxí Bernat Rigo *es Cabo Loco,* per exemple, tenien fama d'esperitistes. I a Sebastià Gelabert Riera *Tià de sa Real,* nascut a Petra i criat a Manacor al segle XVIII les llegendes recollides per mossén Alcover li atribuïen fama de bruixot i d'endevinador del futur (1909. 44):

> Era d'una casta d'homo que com ell només en neix un cada cent anys, i casi mai sura. – Ell surà, però no poria esser ric. En tenir més de quaranta sous, se posava malalt ell o sa dona o ets infants. Si hagués sembrat damunt pedres hauria coïda bona anyada. Deia que sa seva sort era per mar, però trobava que la mar era un camí massa fluix, que fa forat i tapa.– Endevinava ses coses que havien de succeir, veia lo que passava aonsevulla sense esser-hi, i feia unes coses que eren just i fet miracles.– El donaven per bruixot, pro ell no era cap mal homo sinó molt compost i de déu. No se n'allunyava gens de l'Església.

Els propis improvisadors fomentaven molt sovint les llegendes per ornamentar el seu prestigi i perfilar una identitat clarament individualitzada.

L'afermament de la reputació i la definició de la pròpia identitat seran dos elements fonamentals en la trajectòria de qualsevol improvisador. Vestirà elegantment —amb jaqueta i corbata— d'acord amb el respecte que inspira i, en un exercici periòdic i tenaç d'assertivitat, no deixarà passar oportunitat d'introduir el seu nom quan vinga a tomb en les cançons que improvise, sobretot si es bat en duel amb algun adversari.

D'aquesta manera es rebel·lava el versador d'Amposta Francesc Llusià *Carrinya* davant l'anomenada creixent del seu rival Perot:

> *Al entrar en Remolinos*
> *toda la quiente me mira.*
> *Se piensan que soy Perot;*
> *no sinyor, que soy Carrinya.*
> *Soy lequítimo de Amposta*
> *hico de una probe viuda.*
> (Masip 1991: 68)

I així s'autoafirmava el trovero murcià José Martínez *el Taxista* en una vetllada amb el Repuntín, el Conejo i el Patiñero:

No hay desierto sin arena
ni existe un jardín sin flores,
ni arco iris sin colores
ni ciudad cual Cartagena.
No hay dolor sin una pena
no hay invidente con vista,
no hay nación sin autopista
ni una sierra sin su lobo
y no hay figura en el trovo
que hoy supere al Taxista.

(Flores et al. 1986: 124)

Una altra forma de creació d'identitat individual és, com ja hem dit adés, a partir de la retòrica personal, el que pot incloure, fins i tot, una melodia privativa com explica Miquel Sbert (2009:87) per al cas dels glosadors mallorquins: «Una tonada que ha xuclat vés a saber de quina font arcana de la infantesa o de quin indret entornal i, a base de practicar-la, l'usa quan improvisa i, sense aquest «aire», la seva capacitat improvisadora resta coixa».

També el lloc d'origen pot ajudar a configurar la identitat del cantador i per això són molts els que l'afigen al seu nom: cantadors d'estil valencians com el Xiquet de Bétera, Faeneta del Grau, Civilet de Manises, etc; troveros que adopten el nom del *cortijo* on s'han criat: Manuel de la Magaña, Candiota, Juan Fernández el de las Almesillas (Del Campo 2006: 328); o glosadors mallorquins o menorquins que prenen el nom de la possessió a la qual per un motiu o altre es troben vinculats: Tòfol de Binissequí, Pedro de Binigurdó, Andreu de l'Havana, l'amo de Son Mascaró.

A l'illa de Malta el malnom actua com a marcador grupal imprescindible en el col·lectiu dels *għanneja*. Tots els cantadors i guitarristes posseeixen un malnom relacionat amb la seua personalitat (Ciantar 2000). Alguns van precedits de l'article ta' ('fill/a de') com Guze' Abela *ta' Giza* (fill de Giza); altres fan referència a algun aspecte físic, com el cèlebre guitarrista Carmelo Cardona *It-Tapp* ('el tap', per la seua alçada), al seu ofici o al dels seus pares, com Cikku *Tal-Fjuri* ('el venedor de flors'), o alguna altra circumstància relacionada amb el seu caràcter o la seua forma de cantar, com Pawlu Delagabriele *Il-Bies* ('el falcó') o Mikiel Abela *Il Bambinu* ('el nen').

L'ús del malnom contribueix a definir la identitat del versador, però és també un marcador de legitimitat tradicional: quan els processos d'urbanització han confinat el seu ús a sectors molt específics de la societat —colles d'amics, àmbits marginals, món de l'esport i l'espectacle—, la prevalença del malnom sobre el nom oficial entre els versadors subratlla els llaços afectius amb el seu públic i apel·la a un temps on la suma d'individualitats construïa el col·lectiu —en oposició a l'actual sensació de que la suma d'individualismes construeix la massa.

Dones versadores

Un dels nostres romanços més populars explica com el pare assassina a garrotades la seua filla per anar a les ballades de la plaça —mentre la mare resta a la cuina, «esgarrant-se de plorar». No resultarà difícil entendre, doncs, que una societat que transmet aquests missatges de generació en generació —expressió dels problemes socials i els conflictes morals de la condició femenina i, alhora, instruments d'alliçonament col·lectiu— tinga més o menys vedada la presència de la dona en els espais d'influència pública i de sociabilitat no tutelada.

Això explica la presència històricament escassa, irregular i equívoca de la dona en l'àmbit de la cançó improvisada.

Un exemple il·lustratiu que pot justificar els adjectius que acaben d'utilitzar és el del bertsolarisme basc. La primera documentació adduïda per totes les històries del gènere —el títol 8 del *Fuero Viejo de Vizcaya*, del 1452— es refereix exclusivament a dones improvisadores de cançons i ho fa per a condemnar-les: «...*y sobre Mugeres, que son conocidas por desvergonzadas, y rebolvedoras de vecindades, y ponen coplas, y cantares à manera de libello infamatorio (que el Fuero las llama profazadas)*» (Garzia *et al.* 2001: 19). Des d'aleshores, les dones desapareixen de les cròniques fins que en el darrer terç del segle XIX, una bertsolari anomenada Joxepa és citada per un company de duel, Bilintx, en uns bertsos que s'han conservat (Larrañaga 1997: 62):

Aspaldian, Joxepa,	Fa temps Joxepa,
famatua zeunden,	que és vosté famosa
gu berriz ikusteko	d'aquí que jo
desiotan geunden;	desitjara veure-la.
Hondarrabi aldian	A Hondarribia
aditzen genduen	escoltàvem
dama bertsolari bat	que hi havia
nola bazegoen,	una dama bertsolari

zeiñak Euskalerrian	sense igual
parerik etzuen.	a tota Euskal Herria

Malgrat la fama que proclama Bilintx, no n'ha quedat més constància de Joxepa. I així continuarà tot —amb constància puntual de dones bertsolaris que no arriben als annals de la Història— fins que el 1986 Cristina Mardaràs participe en el gran campionat modern del bertsolarisme basc, la Txapelketa Nagusia, i Maialen Lujanbio el guanye en l'edició del 2009.

Prohibició, omissió i, finalment, integració amb condicions: les llàgrimes que vessaven multitud d'ulls al Barakaldo Arena el dia que Maialen es va emportar el guardó, delaten la duresa d'aquesta fase final marcada per la tensió entre l'igualitarisme contemporani i les inèrcies heretades del passat.

En un moment de la magnífica pel·lícula *Bertsolari*, dirigida per Asier Altuna, la figura més important que ha donat el gènere en les darreres dècades, Andoni Egaña, reflexiona davant l'admiració que suscitava l'adolescent Maialen quan començava a improvisar: «La frase que utilitzava la gent per dir que l'acceptava era: aquesta nena és bona, té molts collons! [...] D'aquesta manera va començar na Maialen, es va ficar per aquella esclexa. Amb el temps, s'adonà que no volia continuar per aquell camí. Va començar a llaurar el seu propi punt de vista. Va construir la seua perspectiva com a dona. Poc a poc, ha anat elaborant una perspectiva molt mesurada. Avui en dia és un veritable plaer sentir-la cantar».

Una reacció semblant detectava Caroline Bithell (2003: 41) en les poques dones que arribaven a intervenir en els combats de *chjama e rispondi* a Còrsega i que expressaven la seua frustració perquè els cantadors no se les prenien seriosament.

La dona s'ha percebut usualment com una interferència molesta en un àmbit on s'escenifica una determinada idea de la masculinitat. Una interferència que actua en dos sentits: d'una banda trenca la unanimitat còmplice davant determinades consideracions del sexe femení habituals en aquests àmbits i de l'altra introdueix un important element de risc que pot fer trontollar l'hegemonia simbòlica de gènere si el duel poètic es decanta cap el seu costat. Aquest era el temor que, en forma de bravata, expressava un glosador mallorquí tot combatent una glosadora:

> — Jo em faria capolar
> com sa carn d'una raola
> si em pensas que una dona,
> glosant, m'hagues de guanyar.

— Mare de los pecadors,
que som de desgraciada!
Si en plovia una ruixada,
esta nit, de glosadors
i encara mes pitjors,
que, si tots fossen com vos,
no me trob embarassada.

(Ginard, 1966-75: II, 67)

La confrontació mixta home-dona permetia dur la batussa als terrenys de la sexualitat on es teatralitzava l'assetjament sexual masculí i l'enginy femení per a desfer-se'n tot al·ludint a la insolvència física de l'assetjador, com podem veure en aquest fragment d'una glosada entre Jordi Mirató de Llubí i na Joana Serra *Cartera* de Búger (Munar 2008: 92):

— Ja tenim ses questions
amb na Joana Cartera,
ja sé que tens juguera
sé que tens molts de racons
I jo tenc dos carretons
que són un poquet rodons
i batria dos cavallons
si em deixassis sa ratera.
—No hi ha consol ni conhort
i ara jo em defensaré.
que m'escoltes, malfaener?
dins s'era no t'hi voldré
perquè es teu blat ja és ben mort.

I només fins ací arribava la permissivitat: home contra dona, assumint-ne el risc esmentat, però mai dona contra dona; en aquest cas el protagonisme de la veu femenina superaria francament el perímetre de seguretat.

En qualsevol cas, la participació de la dona en l'àmbit de la cançó improvisada en públic a la Mediterrània ha estat ben escàs, llevat dels gèneres que li eren propis com el de les cançons de pandero catalanes.

Un recull de costums andaluses publicat durant el darrer terç del segle XIX —*El pueblo andaluz* de José Martín y Santiago (1870)— semblava indicar que no hi havia massa diferències de gènere en la improvisació:

También la mujer, que, lo repetimos, poetiza como el hombre, improvisa sus can-
tares en las alegres fiestas que en ciertos días celebra el pueblo, y en las ferias y las
romerías y en los bailes al aire libre y en esos llamados del candil...

(citat per Del Campo 2006: 113).

Però el cert és que no ha quedat cap trovera d'anomenada a Múrcia i Anda-
lusia llevat de Loli la de los Parises. I hi ha ben poca constància d'enversadores
de jotes tortosines. Si hi havia en canvi unes poques dones versadores-cantado-
res al País Valencià com Conxeta la del Mercat, o alguna glosadora a Mallorca
com Joana Serra *Cartera*, de Búger, però sempre com a excepció. També a Malta
hi havia alguna cantadora de cant improvisat, especialment del gènere *bormliza*,
molt exigent des del punt de vista vocal per la seua elevada tessitura i la comple-
xitat de la seua ornamentació melismàtica. Tanmateix, com constataren Norma
McLeod i Marcia Herndon en el seu treball de camp (1975: 87), qualsevol dona
que cantara en públic quedava immediatament exposada a la seua identificació
com a prostituta: el domini públic en la societat maltesa correspon a l'home
que és l'únic que freqüenta els bars on s'interpreta el *għana*; l'home, i les dones
que eventualment poden exercir la prostitució. Les mateixes autores expliquen
algunes de les estratègies emprades per les dones per mantenir en l'àmbit privat
un cant que hauria de ser públic per la seua pròpia naturalesa: per exemple, l'ús
d'un nen com a intermediari per mantenir el diàleg improvisat d'un terrat de
casa a l'altre.

És justament en l'esfera privada on la dona ha pogut desplegar amb lliber-
tat les habilitats improvisatòries i, malgrat la seua invisibilitat en la memòria
col·lectiva, ha jugat un paper decisiu en la conservació, depuració i transmissió
d'aquestes habilitats: molts versadors varen aprendre l'ofici sentint versar la mare
o l'àvia.

L'aprenentatge

En les societats tradicionals totes les habilitats s'aprenien per imitació: escoltant
una i altra vegada els versadors més experimentats fins interioritzar els seus
mètodes i les seues fòrmules. Això ocorria molt sovint en l'àmbit familiar, però
també amb l'adopció del novençà per banda d'un improvisador experiment.
Així ho explica a Paco Cerdà i Puri Mascarell (2012: 36) un dels més caris-
màtics cantadors d'albaes de Xàtiva, Enrique Garcia *Gachi* (Xàtiva, 1948):

I em va ensenyar a cantar un home del carrer que li deien Rafael el Sisó. Com eixe home cantava i tenia *versaes* molt bones, jo sempre anava darrere d'ell. Fins que un dia li vaig dir: «Senyor Rafael, jo podria cantar *albaes* igual que vosté?». «Xiquet, si no cantes bé la primera, no en cantaràs mai en la vida», em respongué. «I vosté no m'ensenyaria?», li vaig preguntar. I aixi ho va fer. El *tio* Sisó se m'emportava a l'horta cada dia i, mentre ell arrancava alls, es posava a cantar *albaes* perquè a mi se'm quedara la *tonaeta* i poguera aprendre-la. Jo escoltava, amb molta atenció i després, a casa, ho intentava imitar...

L'aprenentatge es feia de ben petits, perquè els xiquets accedien al món adult —al món del treball adult— ben aviat. Els propis malnoms de molts cantadors ho delaten: Xiquet de Bétera, Xiquet de Benaguasil, Xiquet de Mislata, Niño de Candiota...

Mossén Alcover (1962: 46) recollia un succeït protagonitzat per Tià de Sa Real que il·lustra la precocitat amb què podia presentar-se l'enginy. De ben petit, el cèlebre glosador mallorquí va tenir una topada amb un experimentat «glosador de la muntanya» que havia acudit a Manacor atret per l'anomenada de l'al·lot. L'expectació despertada per aquesta possible contesa va atreure nombrós públic a les portes de l'hostal del poble on el glosador esperava Tianet. En arribar aquest, li amolla:

> —O ninet, com t'he afinat
> amb sa cara etxerevida,
> me pensava que sa dida
> llavò't 'via desmamat.

> Y En Tianet tot d'una li respon:
> —Antany a estes saons
> ma mare me desmamá;
> i heu d'entendre, mon germà,
> que estic tan fort per glosar
> com un bastiment per mar
> que és sortit a batallar
> amb mil i setcents canons.

En l'actualitat encara continua vigent a molts indrets aquesta forma d'aprenentatge i d'accés al món de la improvisació. El model tradicional conviu, però, amb les escoles de vers, com més va més consolidades per tot arreu, que fan servir una metodologia més sistematitzada i que demostren, contra opinions essencialistes, que qualsevol pot aprendre a improvisar. Una evidència que no en pot ocultar una altra: pocs alumnes formats en aquestes escoles resistirien una controvèrsia amb un improvisador format en la taverna i el carrer. Al capdavall, açò és una afició i allò era la vida.

Molt més enllà del text

Performance

Ens pot semblar una obvietat, però ho repetirem per no perdre-ho de vista: la cançó improvisada és molt més que un text; és un acte complex de comunicació, la interpretació del qual no es pot desllindar del temps i l'espai en el qual es produeix.

Per això ja fa molts anys, des dels treballs pioners d'aquella generació de folkloristes nord-americans anomenada dels «*young turks*» —Richard Bauman, Dan Ben-Amos, Roger Abrahams—, que es va imposar un enfocament holístic del fet comunicatiu que implica el folklore, unint text i context en un concepte únic, controvertit per la seua ambigüitat però molt eficaç per aquesta mateixa raó: la *performance*. El terme s'ha volgut traduir, sense massa fortuna, com a 'realització', 'actuació' o 'interpretació', però ha acabat incorporant-se finalment amb la seua força connotativa original. Segons Bauman (1977: 9) la *performance* «estableix o representa un marc interpretatiu, en el qual els missatges que es comuniquen han de ser entesos».

Si volem comprendre en profunditat l'acte de comunicació oral que representa la cançó improvisada haurem d'analitzar aquest en tota la seua integritat, dins del marc interpretatiu que ell mateix defineix i molt més enllà del text que s'improvisa. Altrament s'esmunyirà, pels replecs del context desatés, bona part del significat i del sentit d'aquest text, molt sovint inintel·ligible si es desconeixen les circumstàncies —autor, audiència, llenguatge gestual, motivacions d'uns i altres, relacions entre ells, història prèvia, etc.— en què es va improvisar.

Són moltíssimes les ocasions en què el sentit últim d'una cançó improvisada ha de ser inferit d'un intricat garbuix de significats. Anna Caraveli (1982: 130) ha argumentat molt certerament que el significat d'una cançó determinada ve creat per tot «un món extern a la cançó: forma d'interpretar-la, ús social, personalitat individual de l'intèrpret, visió del món i història local de la comunitat, tradició que dóna forma a les convencions...». El grau de dependència de la cançó amb aquest món extern i la subsegüent interacció entre la cançó i la comunitat, present i passada, és el que defineix la cançó i propícia el procés comunicatiu mitjançant el qual la cançó es completa «amb el significat que troba en les forces que l'envolten».

Efectivament, la cançó folklòrica aïllada en el seu contingut textual i musical és un fragment important, però incomplet i sovint incomprensible, del fet comunicatiu que representa.

Es tracta de l'inacabable confusió entre literatura i folklore, a la qual tornarem més endavant: de l'ús dels codis d'interpretació d'una disciplina sobre una altra amb la qual guarda una certa afinitat però també notòries divergències formals i funcionals. Ja ens ho advertia el lingüista rus Roman Jakobson (1977: 19):

> ...se ha subestimado la significativa diferencia que hay entre un texto literario y la transcripción de una obra folklórica que, sin más, la deforma irremediablemente y la traspone a otra categoría.
>
> Sería ambiguo hablar de formas idénticas a propósito de folklore y de literatura.
>
> Así, pongamos por caso, el verso, concepto que a primera vista parece significar lo mismo, tanto en literatura como en folklore, cubre aspectos en realidad muy diferentes en el plano funcional.

Però, si no podem aplicar-hi els codis literaris, com es *llig* un poema oral? Aquesta mateixa qüestió se la feia John Miles Foley, director del Centre d'Estudis de la Tradició Oral, des del títol d'una de les seues obres més emblemàtiques. Foley es preguntava quin és el significat de llegir i l'aplicava a la lectura de la poesia oral. Si llegir equival a descodificar —és a dir, transformar en significat un conjunt de signes— la lectura de la cançó oral improvisada haurà de descodificar tots els signes que aquesta comporta i que van molt més enllà del seu text despullat: la melodia, la gestualitat, el context, el diàleg implícit amb la tradició o les complicitats amb l'audiència, formen també part del llenguatge que s'ha de convertir en significat.

Partint d'aquest plantejament, examinem quins són els trets que caracteritzen la cançó improvisada com a *performance*, és a dir, com a «text generat en un context, amb immediatesa i amb oponents i públic, amb referents situacionals i tot de coneixements compartits...» (Sbert 2009:123).

En primer lloc, hem de tornar al marc ritual en el qual s'enquadra. Un ritual que predisposa els participants a desautomatitzar la recepció dels missatges orals i passar-los pel seu tamís de comprensió com a artificis poètics que no han interpretar-se «literalment». Pietro Clemente (2009: 38), tot refererint-se a la pràctica de l'*ottava rima* a la Maremma italiana, preferia considerar-la, més que com a ritual, com a esdeveniment —entenent aquest com a una commutació de la percepció ordinària: una experiència singular que obre la porta a l'emoció. I Venla Sykäri (2011) reprenia la idea introduint el concepte de la «paraula com a esdeveniment» per analitzar adequadament les funcionalitats de les *mantinades* cretenques. Siga ritual o esdeveniment, les dues nocions ens fa retornar als pensaments de Bauman (1977: 43) sobre la *performance* com a intensificadora de la interacció comunicativa i, amb ella, de l'emotivitat dels participants.

Joxerra Garzia (2000: 432-433) planteja quatre tipus diferents d'emoció que la *performance* pot originar: l'emoció contextual, l'emoció tècnica, l'emoció decorativa i l'emoció poètica-retòrica o plena. M'agradaria subratllar especialment la primera, difícil d'aprehendre per a qui no l'ha viscuda en cos propi. Diu Garzia: «*en contextos cerrados, fuertemente cohesionados, muy densos, de valores universalment compartidos, el mero hecho de señalar uno de estos valores puede produir, en ese ceremonial de autoafirmación, una gran emoción*». Qui subscriu ha estat testimoni, en infinitat d'ocasions, de com pot disparar aquesta emoció la simple menció d'un nom de persona en un albà valenciana: l'alta emotivitat que arriba a suscitar el context ritual de la nit d'albaes propicia aquests intensos rampells sentimentals, incomprensibles sense conèixer adequadament el context on es produeixen.

En segon lloc, hauríem de considerar el poder interpel·lador de la veu humana. L'etnomusicòleg Ramon Pelinsky (2001: 166-175) feia un repàs de les diverses aproximacions en què s'ha fet servir el concepte d'interpel·lació proposat per Althusser —com a mecanisme imaginari de reconeixement mutu— per a explicar la construcció d'identitats socials en la música popular. Després de examinar-les i qüestionar-les detalladament, concloïa que els sons musicals poden posseir un fort poder d'interpel·lació pel simple esplendor de la seua materialitat: en el nostre cas, pel simple esplendor de la veu humana, la matèria primera de la poesia oral. Miquel Sbert (2003) ha analitzat el valor simbòlic de la veu en la *performance*: «*La voz, componente primigenio de la poesía oral es el primer estadio que el improvisador debe manipular para convertir su* performance *en una actuación participativa (la voz goza también de un componente pragmático), susceptible de ser percibida por los receptores como algo emocionalmente impactante, como algo que, desde el inicio de la* performance, *se percibe como poético, más que un ejercicio de comunicación pura*». I adduïa algun exemple tret de la mateixa tradició:

Al·lotes, mirau-vos-hí
en so cantar, si voleu,
que es fadrins d'avui en dia
s'enamoren de sa veu.

(Ginard 1966-1975: II, 60)

El paper interpel·lador de la veu ens porta a una tercera característica me-reixedora d'una breu inspecció: el fet que aquesta veu siga cantada. La valoració del text improvisat ens condueix moltes vegades a menystenir inconscientment el paper de la melodia i de la interpretació quan, en realitat, aquests poden ser absolutament decisius en l'efecte final del text.

I aquí hem de desmentir al mestre Igor Stravinsky quan afirmava que la música, per la seua pròpia naturalesa, era impotent per a expressar res: el grau de virtuosisme amb què l'intèrpret executa la peça transvasa veritat al significat; i el *pathos* expressiu que conforma la melodia atorga connotacions semàntiques ben diferents al text en funció de cada gènere. Difícilment trobaríem una melodia que connectara millor amb l'esperit festiu i sorneguer de la cobla següent que la del garrotín lleidatà amb la qual la va cantar Enric Pubill *lo Parrano* (Lleida, 1913-1987):

Si el Parrano fos alcalde
i el Pota concejal,
l'ajuntament de Lleida
no tindria mai un ral.

(Juste 2004: 9)

Costa d'imaginar, per exemple, interpretada amb la força transcendent d'una glosa menorquina —tot i que aquesta pot mostrar també la seua particular sor-negueria.

El mateix ocorre amb el *pathos* tan distint que imprimeixen al text cantat les albaes i el cant d'estil valencià: expeditives i sentencioses les primeres, una mica insegur i ambivalent el segon. O, dins del mateix cant d'estil, les diferents formes amb què es presenta: l'alegria inherent de l'u i dos, la lleu malenconia afandangada de l'u...

La melodia, única en molts dels casos, a còpia de repetir-se una i altra vegada, crea un clima sonor, una determinada suggestivitat sensual, que no crida l'aten-ció però contribueix notablement al sentit final de la cançó. Distingir text i melodia és una maniobra externa fruit del poder d'atracció de la paraula escrita. Com escrivia el cantant i filòleg Antoni Rossell (2006: 38), si fins ara no hem estat capaços d'encunyar un nou terme per aquesta dualitat lírica —música i paraula—, caldrà redefinir el terme oralitat, de tal forma que tots dos igualen la seua participació o incidència en la definició.

Finalment, hauríem de fer referència a la interacció del poeta amb el públic.

Al contrari que la literatura escrita, la poesia oral improvisada està destinada a la comunicació immediata amb un públic concret, de tal forma que creació, «publicació» i recepció es donen de forma simultània, fet que determina com es manipularà la matèria verbal, com es gestionarà el seu contingut simbòlic, com s'aprofitarà la dialèctica entre la zona de comfort que proporciona el ritual tradicional i la imprevisibilitat intrínseca del repentisme i com evolucionarà el discurs del poeta —retroalimentat per les reaccions del públic— al llarg de la vetlada. Ja hem dit abans que hi ha un fort element col·lectiu en la poesia improvisada que fa partícips i responsables tots els presents del fet cultural que té lloc: un bagatge compartit, un record d'altres vetlades, uns vincles de solidaritat conreats al llarg del temps, una complicitat construïda a base de gestos, mirades, rialles i exclamacions, una expectació i una predisposició cap una forma concreta de comunicació, una avinença cultural —«*cultural agreement*» en deia Paul Zumthor (1991: 237-238)—, una actitud col·lectiva cap a la memòria.

Aquesta memòria activarà els seues ressorts retentius sempre que un moment d'especial significació reclame la seua permanència i fixació en el temps: la cançó improvisada també té sentit perquè hi ha coses que només mereixen ser dites una vegada, provocades per les circumstàncies del moment, i d'altres que mereixen ser recordades pel que puguen tenir de valuós per a la comunitat —una resposta especialment graciosa, un pensament inspirat, una sentència moral. Els dispositius tecnològics de què es proveeix la cançó —rima, repetició, tonada, ritme...— facilitaran llavors la seua retenció.

La transcripció escrita de moltes cantades, i anys més tard la irrupció dels enregistraments sonors, tindrà un impacte considerable en la pròpia naturalesa de les improvisacions, ja que suplantarà la memòria selectiva del públic pel registre fidel de tota la cantada que perdrà així el seu caràcter efímer i espontani i es veurà mediatitzada per una forçada pervivència al marge de la *performance* que li donava sentit.

Oratura contra literatura

Els efectes de la transcripció en paper de la poesia improvisada —i la seua posterior publicació en forma de *plaguetes* i altres artefactes de literatura de cordell— ens adrecen cap un altre fenomen en el qual val la pena detenir-nos una mica més: la seua interacció amb la paraula escrita, molt més important i profunda del que moltes vegades s'ha dit.

La improvisació oral ha conviscut des de fa segles amb el seu correlat escrit i aquesta convivència ha produït una influència recíproca que es pot rastrejar per tot arreu.

Així, Venla Sykäri (2009: 96) trobava difícil encaixar les *mantinades* cretenques dins de l'oralitat estricta perquè «el procés de composició és oral, però els poemes es solen transcriure més tard. Malgrat que els poemes orals que han estat transcrits apunten més cap a la poètica que cap els significats situacionals, moltes pràctiques habituals mostren com de natural és l'intercanvi entre allò oral com a acció i allò escrit com a repositori / magatzem».

A les Balears es parla de glosadors de picat o de combat —que serien els que improvisen en públic— i glosadors de cas pensat, de posat, de colze o de taula-camilla, que practiquen la glosa escrita: una poesia que segueix els codis formals de la poesia oral, però que es permet de ser pensada i reelaborada i molt sovint pren caràcter narratiu. Són diversos els glosadors que practiquen totes dues modalitats i que, per tant, ni que siga de forma inconscient, trasvasen recursos de l'una a l'altra. I el mateix ocorre a Euskadi amb els *bertso-jarriak* o *bertso-paperak*, poesia escrita dominada també per alguns grans improvisadors orals: Xenpelar, per exemple, un dels bertsolaris més famosos de la Història, exercia amb tal mestria les dues modalitats que els experts no aconsegueixen discernir amb claredat de quina forma va compondre alguns dels versos que ens han arribat (Larrañaga 1997: 58).

Tampoc es fàcil destriar oralitat i escriptura en les anomenades «Cobles de Peirot» difoses per totes les valls pirenaiques: semblen tenir un origen escrit —hom atribueix les cobles originals a Anton Julià Gelabert *mossén Vidal* d'Arcavell que les hauria confegit cap el 1760 (Feliu-Villaró 2012: 8)—, però després prengueren forma de cançó, es transmeteren oralment, se n'afegiren noves versions orals i escrites i es convertiren en una manifestació transversal d'identitat pirinenca. El manuscrit de mossén Vidal incloïa vint-i-una estrofa; Artur Blasco (2002) en dedicava tot un volum del seu colossal *A peu pels camins del cançoner* i en recollia 130, equivalents a més d'un miler de versos. Algunes podrien datar-se coetànies del manuscrit per la fam que denuncien, producte potser de les males anyades que assolaren el país durant la segona meitat del segle XVIII:

> Los de Torre i Alàs
> se lleven a mitjanit;
> com ells de vespre no sopen
> la fam los ne trau del llit.
> La verdura sense pa,
> la di-go, di-go, di-go, di-go.
> La verdura sense pa
> quasi sempre han de menjar.
> (Blasco 2002: 62)

Altres en canvi, són de confecció ben recent:

> A Espui hi ha un Jaume negre
> que de blanc no li'n vei pas.
> Quan puià el primer tomòbil
> va començar a esfuga's.
> Ai, correve com el vent
> la digo, digo, digo
> Ai, correve com el vent
> i així ho explique a la gent.
> (Blasco 2002: 76)

Són innombrables els versadors, glosadors i troveros que utilitzen el vers també per a comunicar-se per escrit, siga dictant cartes per amics o familiars o escrivint-les del seu puny i lletra.

Fa uns pocs anys, alguns teòrics han représ amb força el concepte d'oratura introduït durant els anys setanta pel lingüista ugandés Pio Zirimu —mort enverinat a Nigèria en una de les maniobres repressives del dictador Idi Amin. Zirimu pretenia contrarrestar la tendència a minusvalorar la literatura oral front a la literatura escrita per la via onomàstica: si el nom fa la cosa, potser calia definir un nou art amb els seus propis codis i mecanismes expressius. Així ho explicava Juan José Prat (2007): «*Los modos orales de comunicación directa humana – no mediada técnicamente– representan un régimen comprensivo de cognición, expresión y comunicación que definimos como un sistema de retóricas entrelazadas llamado "oratura" en oposición a la "literatura". Este régimen no descansa sobre signos escritos fijos, sino sobre las variadas y flexibles capacidades de la voz humana: textos, entonación, melismas y melodías».*

En el cas de la poesia improvisada, però, ja hem vist que oratura i literatura es troben massa pròximes per a fer-ne una escisió neta: el fet de com és comunica no determina completament la naturalesa de l'art verbal. Al món occidental els «signes escrits fixes» ja fa molts anys que interaccionen amb les «flexibles capacitats de la veu humana» i no es possible veure'ls «en oposició».

Eric L. Ball (2002) proposa una nova categoria —*«an alternate home»*— per a emmarcar les *mantinades* cretenques i estudiar-les des d'un punt de vista «integrodisciplinari» [sic]: aquestes, més que un producte folklòric, caldria considerar-les com a literatura localitzada —*'placed literature'*—.

Ball argumenta aquesta proposta en el fet que les *mantinades* són produïdes, difoses i consumides per aquells que s'autoidentifiquen com a cretencs. L'ús del participi «localitzada» connota la seua condició de resultat d'una acció conscient, fonamentada en el sentiment de pertinença a la illa que duu implícit la pràctica de la *mantinada* (2002: 165).

Sembla un via interpretativa interessant però novament no aconsegueix acollir tot l'àmbit de la cançó improvisada davall el seu sostre —i cada vegada menys amb la seua internacionalització i els intercanvis de procediments literaris i estils musicals que es donen per tot arreu.

Per resoldre el debat, potser paga la pena quedar-se —com sol ocórrer sempre que pren la paraula— amb les reflexions que feia Luis Díaz (2007) qui es preguntava per què en el món occidental hi ha aquesta dèria per reduir la literatura únicament a la seua vessant escrita, deixant tota la resta d'expressions de l'art de la paraula tant al marge que cal justificar-les i donar-los un altre nom. I troba una explicació plausible:

> *Las élites en cada cultura han introducido diferencias entre el uso de ese arte de la palabra hecho por ellas y el uso que de él hacían el resto de los miembros de una comunidad. La literatura, como el arte, como ciertos conocimientos dentro de una cultura, se han convertido en asunto de determinadas élites y, por ello, en fuente y expresión de poder. La literatura que hoy identificamos como de autor viene a cumplir esa función, esa transformación: por eso Homero tenía que llamarse de alguna manera. Los aristócratas inventaron su nombre, pero no su poesía. Las élites quisieron hacerla suyas entonces, del mismo modo que los cortesanos intentarían apropiarse de cantigas, cantares y romances muchos siglos después.*

[…] *No hay folklore sin literatura. No habría literatura sin arte de la palabra. No habría arte de la palabra sin palabra. No habría palabra sin sonido. No habría sonido (articulado humanamente) sin voz. La voz —y sólo secundariamente la escritura— es poesía, creación y milagro.*

Qualitat literària

Un exemple il·lustratiu de l'actitud supremacista que denuncia Díaz és el debat recurrent —i al nostre entendre, viciat—de la major o menor vàlua literària de la cançó improvisada. Una vàlua analitzada sempre a través de la lent de la literatura escrita que en dóna una imatge distorsionada, esbiaixada i, com ja hem explicat, notòriament incompleta.

Es tracta d'una inèrcia del passat que encara avui suscita certa controvèrsia. Vegem-ne alguns testimoniatges.

L'erudit mallorquí Marià Aguiló sempre tingué una relació ambivalent amb el món de la glosa a qui retreia el seu caràcter «depredador» de la tradició més elevada (Puntí 1993: 28):

Gloses: La facilitat que tenen per aquest gènero de poesia n'ha dat tal abundància que totduna que vatx conèxer la èpica popular, me semblà que aquella havia aufegat y mort a aquesta. Se'm figura que érem dueños de un bosch secular e immemorial de abets y daltres arbres *monumentals* y que l'havíem cremat per sembrarhi flors y violes que cada mes s'han de renovar

Igual d'ambivalent es mostrava Ramón Menéndez Pidal amb determinats elements de la tradició oral fins al punt de defensar opinions diametralment contraposades en els seus abundants escrits (1965-66: 200):

Vemos aquí la improvisación brotar por todas partes en Yugoslavia, como una facilidad connatural, allí muy al uso; la vemos bajo su complejo de admirable frivolidad. Desde este punto de vista, la improvisación tomada como base del poetizar es un jugueteo que sólo prospera en medios de escaso desarrollo intelectual en la técnica artística, sea en grado eminente entre yugoslavos, sea en tono menor entre payadores argentinos o versadores valencianos o versolaris vascos, capaces de estar horas y horas repentizando sobre cualquier tema.

O el flamant autor d'aquells versos de l'himne regional valencià —«Paladins de l'art t'ofrenen / ses victòries gegantines...»— Maximilià Thous, qui en una conferència pronunciada al Círculo de Bellas Artes de la ciutat de València el gener del 1911, concloïa (Thous 1936: 17-20):

> ... inútil és fer una detinguda requisitòria entre les cobles que a la musa po-
> pular son atribuides i que per tot arreu se canten. Sempre resulta lo mateix,
> la que no es bruta i lleja, és incoerenta, desllavaçada i sense ninguna gràcia.
> [...] He oit molt, he inquirit amb tenacitat i constància, he bucejat en lo
> més fondo i no he pogut traure ninguna perla: quan no hi ha tarquim,
> hi ha pedres.
> [...] La musa popular no existix, senyores i senyors!

Malgrat la irritada incomprensió de Thous, la seua invectiva no arriba a la fe-
rocitat amb què, vint anys després, reprenia la condemna Joan Fuster (1958), l'alta
volada intel·lectual del qual no li estalviava una especial incapacitat —alimentada
de prejudicis «il·lustrats» i d'un coneixement molt superficial de l'expressió cultu-
ral objecte del seu menyspreu— per apreciar les virtuts del cant improvisat:

> *Por Fallas, por la feria de Julio, ahora por San Vicente, reaparece como un rito*
> *desganado, la voz de cualquier «xiquet de Beninosecomo» gorgeando una «albà»*
> *o «l'u i el dos», y en eso queda la cosa. Y, en la ocasión, volvemos a ser testigos de*
> *sus más divertidas atrocidades, grabadas en disco o en crudo, a propósito de la letra*
> *y de la música de aquellos ancianísimos cantos huertanos.*
> *Más en la letra que en la música, desde luego. ¿Han tenido ustedes la paciencia,*
> *alguna vez, de prestar atención a lo que nuestros «cantaors» sueltan acompañados*
> *de dulzaina o de «guitarró», cuando se les invita a una demostración más o menos*
> *pública de su arte? Vale la pena de fijarse en ello. Se reirán ustedes. Será una risa*
> *triste y hasta llena de vergüenza, pero risa al fin y al cabo...*
> *[...] la canción [...] es «creada», no quizá por el pueblo, sino por uno «cualqui-*
> *era» del pueblo. Así ocurre en el folklore huertano: la música es tradicional, pero*
> *las letras las improvisan los propios intérpretes y con frecuencia, sobre la marcha.*
> *[...] por ahí anda un librito de don Maximiliano Thous, «Aladroc», que incluye*
> *un denso y ameno, y muy digno, repertorio de coplas para los ritmos tradicionales*
> *de la huerta. Convendría que alguien lo pusiera en manos de los intérpretes. Les*
> *harían un favor. Pues además de eximirles de la tarea de improvisar versitos, les*
> *evitaría caer en el ridículo. Y todos saldríamos ganando.*

Fuster tornaria, anys després (1979; 1982) al mateix argument.

Aquest debat s'ha transmès als propis cantadors, entre els quals hi ha qui renega de la formació acadèmica i hi ha qui l'enarbora com a imprescindible.

Rafael Ginard, per exemple, reporta una topada entre un coremer —predicador de Quaresma— i el glosador de Llucmajor Antoni Garau *Mestre Lleó*:

> —Ja direu an En Lleó
> una paraula secreta:
> que un homo que no sap lletra
> no pot esser glosador.
>
> —Si aquesta no la trec neta,
> altra cançó no faré.
> Direu an es coremer
> que en el món va esser primer
> s'enteniment que sa lletra.
> (Ginard 1966-75: II, 67)

Per contra, el cantador de Sant Jaume d'Enveja, Francisco Balagué *Lo Ratat de Bocadebou* (1895-1973) sempre es va vantar de la seua formació literària i així li ho retreia per jota al seu rival en l'ofici Juan José Blanch *Caragol* (1890-1964), nascut a l'Ampolla però criat a la Cava.

> Si vols ser bon cantador
> ja t'hai dit moltes vegades,
> has d'estudiar molts de llibres
> i no dir caragolades,
> que el que canta sense lletra
> només pot cantar tontades!
> (Queralt 2011: 9)

Una prova impagable d'aquest capteniment de Bocadebou és la imatge amb què publicita un espectacle de jotes celebrat a Alcanar l'any 1969, on se'l veu assegut llegint, en una representació que és l'antítesi del cantador de jotes folkloritzat que estem acostumats a veure.

Aquest debat, contaminat també per la idealització de la societat preindustrial, rural i incomunicada, a hores d'ara és evident que va morint pel mateix pes de la realitat: el bertsolari Andoni Egaña —guanyador de la Txapelketa Nagusia desde el 1993 al 2005, fins que el 2009 li arravatà la txapela Maialen Lujanbio— és filòleg i escriptor i la mateixa Maialen és llicenciada en Belles Arts.

En tot cas, però, il·lustra el biaix apreciatiu que redueix la cançó improvisada a un únic element, el text, on es busca exclusivament els valors atorgats a la poesia escrita.

Però com podem valorar la cançó improvisada en base a l'emoció estètica que ens puga suscitar si aquesta no ha estat en cap moment l'intenció prioritària del seu artífex? La cançó improvisada rara vegada s'abandona a aquest camp expressiu, perquè la seua intenció sol ser un altra: incidir en l'audiència, derrotar al rival, alabar, comentar, censurar, ridiculitzar, festejar, celebrar, blasmar, ironitzar, complimentar, felicitar, opinar, contradir, rebatre, desmentir, escarnir, xafardejar, gallejar, esbravar-se, persuadir.

Potser són els escriptors que han conviscut de prop amb la improvisació poètica els qui més han apreciat els seus mèrits inherents. L'escriptor algaidí Pere Capellà —també glosador i fill del gran glosador Llorenç Capellà *Batle*— en un carta adreçada al seu germà des de la presó d'Alcalà d'Henares (Capellà 2006: 97), s'expressava en aquests termes:

> *No saben los literatos de por aquí, que es más difícil ser glosador que poeta. Que me lo pregunten a mí que como glosador no llegué a ser nadie y en cambio como poeta tengo incluso imitadores. Cuando cuento a mis amigos lo que hacen los glosadores, su facilidad para improvisar y la sal y pimienta que ponen en sus improvisaciones, les cuesta Trabajo creerlo...*

No és l'únic escriptor que ha experimentat en carn pròpia els reptes impossibles del glosat. Explica Joan F. López Casanovas com, amb altres joves menorquins intel·lectuals de l'època —Gustau Juan Benejam, Josep Portella Coll—, en plena campanya per a revitalitzar la glosa dins del marc del Congrés de Cultura Catalana del 1976, varen pujar a l'entaulat de la plaça Nova de Ciutadella per glosar al costat d'alguns vells glosadors. «Va ser per a mi un dels actes de militància cultural més difícils», confessa (2007: 397). La conclusió de tot plegat quedà recollida en una glosa cantada per Antoni Olives, l'amo de Son Mascaró:

Els poetes naturals,
no n'hem de mester, de lletra,
per clavar-los sa xaveta
an ets artificials.

Sobta trobar en boca d'un glosador aquesta conceptualització de la cançó improvisada com a «poesia natural» front a la «poesia artificial» dels literats, perquè és un argument que feien servir els Romàntics en la seua reivindicació del *Volksgeist*, l'ànima dels pobles. En quasevol cas, l'amo en Toni no anava gens desencaminat: les habilitats que se li exigeixen a l'improvisador —poeta natural per l'espontaneïtat amb què raja la seua poesia— no són les mateixes que al literat —poeta artificial pel marge d'intervenció, de reflexió, que es permet.

Per això cal ponderar la cançó improvisada amb un altra escala de valors.

Ja fa uns anys que el periodista i professor basc Joxerra Garzia proposa la tesi d'abordar el bertsolarisme des del marc teòric de la retòrica clàssica —en la seua condició de gènere oral i epidíctic—, un marc que relativitza el text perquè obliga a considerar-lo en funció de les circumstàncies i el context en què es va improvisar. Felip Munar ha aplicat idèntic marc teòric per a l'anàlisi del glosat mallorquí.

Les circumstàncies i el context, efectivament, han de tenir un pes específic molt important en el procés valoratiu. Quina poesia improvisada es memoritza i es transmet? Aquella més ben acabada formalment o estèticament? Aquella que té uns versos particularment bonics? O aquella que tenia com a principal valor la seua escaiença en un moment i un context determinat? La qualitat d'una cançó improvisada ens la proporcionarà la seua perfecció formal —dificultat de la rima, correcció de la prosòdia—, l'agudesa del seu contingut i, sobretot, la seua escaiença en el context que la propicia: resposta a un altre improvisador, comentari crític d'algun esdeveniment o persona molt significatius per a l'audiència, etc.

Com bé apunta Anna Caraveli (1985:265). en els seus treballs sobre la cançó improvisada en Olymbos —a l'illa de Karpathos, en el Dodecanès—, la valoració de les *mantinades* mai es basa en la seua qualitat intrínseca sinó en relació al paper que desenvolupen en el conjunt del *glendi* (celebració col·lectiva) i en el context social i històric de la comunitat: l'apreciació del *glendi* barreja el nivell del *kefi* assolit —estat d'eufòria i d'emoció individual i col·lectiva— amb el nivell de significació de les *mantinades* intercanviades.

Això no vol dir que, en alguns moments, la poesia improvisada no assolesca nivells de commoció estètica semblants als que produeix la millor poesia escrita, especialment en el món àrab i en alguns gèneres llatinoamericans com la dècima cubana on repentistes de l'alçada de l'Índio Naborí —peoner en la incorporació de recursos lírics, adoptats de les avantguardes literàries europees i llatinoamericanes—, Alexis Díaz Pimienta o Tomasita Quiala, son capaços d'improvisar versos d'una bellesa aclaparant. Vegeu, sinó, la dècima que confegí Tomasita amb el peu forçat *«naufragué una noche oscura»* en una actuació a Las Palmas de Gran Canària, tal i com la reporta Maximiano Trapero (2008: 27), un dels grans responsables de la visibilització recent d'aquesta manifestació cultural:

> *Te conocí cuando era*
> *un barco sin timonel,*
> *se me confundió tu piel*
> *con una playa costera.*
> *Mas como tu abrazo fuera*
> *más salitre que ternura,*
> *se me quemó la cordura*
> *en el fuego de tu pira,*
> *y en el mar de tu mentira*
> *naufragué una noche oscura.*

Imprevisible, escaient o bellíssima, la improvisació emociona sobretot perquè és viu en el moment, perquè és alhora significat i presència física, perquè assistim a l'instant únic en què es desencadena el tro del sentit i la paraula, esmolada pel poeta, penetra en l'entranya de la realitat siga per ridiculitzar-la, per denunciar-la o per sublimar-la.

Una inesperada revitalització

L'ensulsida de la societat tradicional no ha comportat la desaparició de totes les seues pràctiques culturals, sinó que moltes s'han reformulat en el marc de la modernitat avançada adoptant noves funcionalitats. Aquest és el cas de la cançó improvisada que viu una extraordinària revitalització en els llocs on semblava condemnada a la desaparició i redobla la seua vigència on no havia entrat en decadència.

En la nostra societat contemporània, allò que anomenem «música tradicional» es desenvolupa en quatre fronts de límits difusos i de caràcter sovint complementari: el de les pràctiques tradicionals residuals que han sobreviscut als embats modernitzadors i que no han passat per un procés de recuperació; el folklòric, que pretén escenificar la tradició, convertint en espectacle un estereotip construït sobre l'anacronia i el sincretisme —es barregen elements d'èpoques molt diferents amb voluntat didàctica, esteticista o de producció de patrimoni i identitat—; el d'allò que a casa nostra darrerament s'ha anomenat folk i que intervé sobre repertoris procedents de la transmissió oral amb voluntat modernitzadora manifestada en l'ús d'alguns codis expressius de les músiques de consum contemporànis; i, finalment, un darrer front, incipient però ja bastant difós, que reprén algunes pràctiques tradicionals en contextos moderns i amb funcionalitats renovades.

La revifalla de la cançó improvisada pertanyeria a aquest darrer front, amb connexions de desigual intensitat amb el primer, en funció de les dinàmiques pròpies de cada territori: per als seus nous usuaris, la cançó improvisada no és un element cultural procedent d'un passat trascendit que cal reproduir-lo puntualment per a ser mostrat en públic —com ocorreria en un espectacle folkòric—, ni tampoc modernitzar-lo i adaptar-lo a les noves sensibilitats estètiques —com veuríem en un concert de música folk. La cançó improvisada es percep com un instrument de comunicació vigent, vàlid i valuós, que es recicla del passat per protagonitzar nous rituals amb noves funcions i atorgar un rol notablement diferent als improvisadors. Com escrivia Jaume Ayats (2007: 66), "ara se cerca en la veu de l'especialista un interés més estètic o d'imatge d'un passat imaginat que no pas la precedent necessitat col·lectiva de confrontar-nos, de dialogar i de negociar aspectes i sentiments del nostre actuar col·lectiu i del nostre futur. Dit d'una manera més planera, ara pocs alcaldes poden perdre el seu càrrec per una crítica del glosador, del corrandista o del cantador de jotes".

Tres són les forces motrius que, al nostre entendre, governen el resorgiment de la cançó improvisada en l'actualitat: la necessitat d'articular identitats col·lectives localitzades per conjurar la incertesa que produeix l'homogeneïtzació dels referents culturals i la deshumanització de les relacions socials pròpies del capitalisme avançat; la importància dels espais de sociabilitat alternativa que propicien interaccions més properes, genuïnes i dotades de sentit; i la força comunicativa inherent de la mateixa cançó improvisada que continua permetent vehicular lúdicament els desencants, neguits i esperances d'uns sectors socials concrets: quantes vetllades de cançó improvisada a casa nostra no acaben sent, explícitament o implícita, un ritual de celebració ideològica?

Resulta ben significatiu, en aquest sentit, el paper que ha tingut la cançó improvisada com a manifestació cultural susceptible d'integrar processos de consolidació d'identitats locals o nacionals, fenomen que podem resseguir en el moviment independentista català o en la redefinició de la nova identitat maltesa —arran de la seua independència del domini britànic—, murciana —fruit del model autonòmic— o *kazakh* —on han renascut amb força els combats poètics dels *aitys,* suprimits durant la incoporació del país a la Unió Soviètica, com a símbol postcolonial d'emancipació cultural (Dubuisson 2009). I no caldrà insistir en l'enorme transcendència dels bertsolaris al País Basc on, des del 1995, la televisió autonòmica dedica un programa setmanal —Hitzetik Hortzera—, les bertso-eskolas voregen el centenar i una enquesta del 1993, encarregada per la Bertsozale Elkartea, posava de manifest que un 78% de bascoparlants tenien bastant o molt d'interés pel bertsolarisme.

D'un mode semblant, però en aquest cas actuant com a bàlsam per alleujar les ferides emocionals de la deslocalització forçosa, la cançó improvisada també ha esdevingut un catalitzador identitari entre les comunitats immigrades, siguen els alpuixarrenys que deixaren les rambles de la Contraviesa per anar a buscar el pa al mar de plàstic del camp de Dalías —i que ara exhibeixen orgullosos la seua antiga denigrada condició de *cortijeros*—, els maltesos emigrats a Austràlia o els cretencs arribats a Baltimore.

Autodescobriment i internacionalització

El resorgiment de la cançó improvisada s'ha desplegat sobre dinàmiques locals i internacionals entrecreuades i ha seguit seqüències bastant similars en la major part de territoris: primerament, el descobriment d'una manifestació cultural situada en la marginalitat o reclosa en els seus límits domèstics, que es percep com a altament vulnerable malgrat puga ostentar encara una magnífica salut; a continuació, l'inici d'un procés de patrimonialització conduït des de baix: un reconeixent progressiu com a «bé cultural de diversitat» (Clemente: 2009, 33) que acaba, en la major part de casos, institucionalitzant-se; i, finalment, la projecció d'iniciatives de foment i difusió en forma de publicacions discogràfiques, congressos científics o festivals i campionats.

Aquestes operacions s'han realitzat de vegades davall el patrocini dels mateixos improvisadors —com ha ocorregut a Mallorca i Menorca— amb l'assistència d'entitats culturals i persones amb alta capacitat de dinamització. En altres, però, s'han dissenyat i dut a terme al marge dels veritables protagonistes, com va ocórrer a Malta on es va extreure l'*spirtu pront* de la taverna per posar-lo damunt d'un escenari davant la perplexitat dels *għanneja* forçats a modificar el seu ritual, debatre temes proposats per un jurat, aliens completament als seus interessos i, en definitiva, representar-se a ells mateixos en una mena d'estranya paròdia cultural. Ja prevenia Jaume Ayats, en un lucidíssim treball (2000), dels perills del que ell anomenava «espectacle amb indígena»: l'error de tractar la música tradicional «per damunt de les persones que canten, de les persones que són necessàries perquè l'activitat sigui possible» i d'oblidar «les condicions de comunicació inherents a qualsevol activitat musical que per força ha de ser una expressió actual, compartida i còmplice amb el grup, i que serveix per mostrar valors i actituds d'ara».

Amb tot i això, el festival ha estat el format més repetit de promoció de la cançó improvisada a tot arreu, des de les Mostres Autonòmiques de Glosat (1999) impulsades per l'Associació Cultural Canonge de Santa Cirga de Manacor —veritable punt d'inflexió en la percepció de la cançó improvisada als Països Catalans— al Primer Festival de Cançó Popular maltesa celebrat als Argotti Gardens de Floriana (1998) —que ha trobat la seua continuació en l'actual Għanafest—, passant per l'Incontro di Poesia Estemporanea de Ribolla a la Maremma Toscana (1993), el festival Trovalia de Múrcia (2004), el Festival Internacional de Cante de Poetas de Villanueva de Tapia a Màlaga (2001), la Trobada de Cantadors d'Espolla (2004), la Trobada de Glosa i Vers Improvisat de Menorca (2004) o el pioner Festival de Música Tradicional de la Alpujarra (1982).

Simultàniament a aquesta proliferació d'iniciatives —i alhora causa i conseqüència d'ella— es produeix una progressiva internacionalització del fenomen que, visibilitza la seua universalitat i permet la interacció entre improvisadors procedents de tradicions culturals, aparentment molt llunyanes però que exhibeixen algunes coincidències ben impactants.

El procés és intens i fulgurant i el protagonitza en bona part el moviment iberoamericà entorn a la dècima improvisada, redescoberta com el «fenomen folklòric i cultural més important d'Hispanoamèrica» (Trapero 2005: 61). Així, si en el 1992, durant el primer simposi organitzat sobre el tema a la Universitat de Las Palmas, Samuel G. Armistead definia (1994: 42), carregat de raó, la poesia improvisada com «*la cenicienta, la oveja negra, de la literatura oral*», només quinze anys més tard Maximiano Trapero —incansable estudiós i impulsor del fenomen— no podia sinó mostrar-se (2008: 20) decididament optimista: «*la improvisación poética vive en este tiempo el mejor momento de su historia, al menos de la historia que nos es conocida*». I no era per a menys: en aquest interval de temps s'havien celebrat nombrosos congressos, simposis i festivals internacionals; s'havien publicat els volums d'Actes de molts d'ells donant a conéixer tradicions fins aleshores desconegudes en l'àmbit acadèmic; s'havien fundat l'Associación Iberoamericana de la Décima y el Verso Improvisado, AIDIVI (1995) —organitzadora de l'encontre-festival itinerant homònim— i l'Associació Europea de Poesia Improvisada, AREPO (2000); havien vist la llum el fonamental volum *Teoría de la Improvisación. Primeras páginas para el estudio del repentismo* d'Alexis Díaz Pimienta (1998) i monografies ben bé definitives sobre el trovo de l'Alpujarra —*Trovadores de repente*, d'Alberto del Campo (2006)— i el bertsolarisme —*El arte del bertsolarismo. Realidad y claves de la improvisación oral basca*, d'Andoni Egaña, Jon Sarasua i Joxerra Garzia (2001)—; i, en fi, la cançó improvisada havia començat a formar part de les agendes d'investigadors universitaris, promotors culturals i, com diria la rima fàcil d'una albà valenciana, el públic en general.

El fenomen en clau domèstica

La cançó improvisada reviu al país gràcies a la convergència de processos esdevinguts inicialment en nivells independents però que acaben confluint sobretot per l'acció dinamitzadora de l'associacionisme cultural.

A Menorca, per exemple, resulta decisiva la fundació el 1999 de Soca Mots, l'associació que aglutinarà tots els glosadors en actiu de l'illa i que capitalitzarà totes les iniciatives de promoció i ensenyament del glosat.

A Mallorca qui assumirà inicialment el protagonisme serà l'Associació Cultural Canonge de Santa Cirga de Manacor que, amb l'impuls de Felip Munar i Mateu Llodrà, organitzarà les Mostres Autonòmiques de Glosat i donarà pas a la fundació de l'Associació de Glosadors de Mallorca l'any 2008.

Al País Valencià hi ha un abans i un després de la publicació dels primers treballs de Carles Pitarch (1997) sobre el cant valencià i, sobretot, l'edició per banda de la Fonoteca de Materials de la Generalitat Valenciana, de l'*Antologia del Cant Valencià d'Estil (1915-1996)* (1997). També tindran un paper rellevant les escoles de cant de Godella —on Apa imparteix el seu mestratge— o de la Universitat Popular de València —amb Victorieta al capdavant— i els festivals que programen habitualment cant d'estil i albaes com les Trobades de Música de la Mediterrània, el Festacarrer d'Ondara o el Cant al Ras de Massalfassar.

I a Catalunya la clau que òbriga el pany la proporcionarà el folk que, des del festival Tradicionàrius de Barcelona, escampa la seua influència per tot el territori: Quico el Cèlio, el Noi i el Mut de Ferreries, la carismàtica formació tortosina, popularitzaran les jotes de l'Ebre i amb elles, alguns dels seus intèrprets més emblemàtics com lo Canalero i lo Teixidor; les trobades de cantadors que comencen a celebrar-se a diversos indrets —la de Sobremunt, per exemple, dins del cicle Solc que té lloc al Lluçanès— acolliran alguns corrandistes com Carolino de Folgueroles; el mateix Tradicionàrius esperonarà les trobades de cançó improvisada que, amb la denominació germana Corrandàrius, anima Francesc Tomàs *Panxito*; i algunes formacions i intèrprets incorporaran la cançó improvisada en formats moderns i trencadors com Marcel Casellas, De Calaix, Pomada o la seua encarnació especialitzada Ensaladilla So Insistent.

Fruit de tots aquests processos que, com hem dit, s'engeguen independenment però ben aviat comencen a entrecreuar-se i a retroalimentar-se, la cançó improvisada assoleix la massa crítica necessària per començar a traspassar els cercles d'artistes i aficionats estrictes i a colonitzar terrenys fins aleshores impensables.

Ara per ara conviuen en l'àmbit de la cançó improvisada tres dinàmiques interrelacionades.

La primera seria la que manté, adaptades a les circumstàncies actuals, les funcionalitats bàsiques de la improvisació. Cantadors de jotes que segueixen acudint a banquets de noces i batejos per afalagar els protagonistes; nits d'albaes i guitarraes que ronden els carrers del poble o la ciutat per cantar a les festeres, els majorals o les falleres; corrandistes que improvisen durant el cant de les caramelles de Pasqua; patacades que es canten durant la festa de sant Sebastià a Cadaquès; combats de glosadors realitzats a la plaça del poble amb motiu de la festa major.

La segona és la que converteix la cançó improvisada en una manifestació cultural digna de ser ensenyada a l'escola, divulgada per tots els mitjans a l'abast i exhibida dalt d'un escenari. Sobre l'entaulat es pot distingir clarament de l'anterior pel seu caire clarament cultural i «culturalitzant» si se'ns permet l'expressió, amb un especialista que presenta l'acte i explica als assistents els secrets de la improvisació poètica, la seua importància patrimonial i el seu caràcter tradicional i identitari: curiosa situació on la tradició i la identitat s'han d'explicar als seus suposats detentors —tot siga dit sense la més petita intenció crítica: qui subscriu ha representat aquest paper en moltes ocasions.

Una part molt important d'aquesta segona dinàmica radica en la nova forma de transmissió de la cançó improvisada que va passant de l'aprenentatge personal per emulació a l'escola especialitzada, i d'ací a les aules de primària i secundària, en un procés lent però d'implantació creixent.

Felip Munar ha estat un dels grans impulsors de la didàctica de la cançó improvisada. L'autor del *Manual del bon glosador* (2001) i de *Jo vull ésser glosador* (2008), defensava: «*De ahí que el primer eslabón sea la escuela, una escuela abierta y que tenga en cuenta dónde está situada, qué formas culturales y lingüísticas la conforman, qué elementos esenciales debe transmitir. Y debemos adecuarnos a la sociedad tecnológica del siglo XXI. Utilizar las técnicas de la improvisación, de la oralidad, es trabajar uno de los contenidos más importantes en el proceso educativo, que se inscribe de lleno en dos de las cuatro habilidades bàsicas del aprendizaje de la lengua: escuchar y hablar*».

Albert Casals semblava recollir el guant llançat per Munar quan plantejava la seua tesi doctoral com el disseny i experimentació d'una proposta interdisciplinària per a Primària basada en la cançó amb text improvisat. Les conclusions a les quals arribava no podien ser més estimulants (2009: 283):

La cançó improvisada obre un amplíssim ventall de possibilitats educatives a l'escola Primària. [...] Més concretament, i en relació amb temes molt importants i sovint poc atesos en el sistema escolar català, les propostes didàctiques a l'entorn de la cançó improvisada esdevenen efectives per a millorar:

- la participació i la vivència a l'entorn del cant
- l'expressió oral i el treball poètic
- les habilitats escèniques i el desenvolupament de la personalitat
- la cohesió del grup i les relacions socials

A més a més, aquest treball tan complet —i inèdit a les escoles catalanes— retorna l'activitat de cantar a la forma indissociable d'origen (on música, text i interacció social no es conceben separadament).

La tesi de Casals tindria com a primera conseqüència important el projecte Corrandescola, una iniciativa d'innovació, formació i recerca a l'entorn de la glosa a Primària que compta amb el suport de l'ICE de la UAB i del Servei d'Immersió i Acolliment Lingüístic del Dept. d'Ensenyament de la Generalitat de Catalunya.

Altres propostes semblants són el projecte «Patrimoni Cultural: La poesia oral improvisada» dut a terme per l'IES l'Om de Picassent, l'extensió de Maella de l'Institut Mar d'Aragó de Casp, l'IES Torroella de Montgrí i l'Institut de Sineu, sota la coordinació de Felip Munar; el projecte «La glosa a l'escola» de l'Escola Puig d'Arques de Cassà de la Selva, mereixedor del Premi Baldiri Reixach en la seua edició de 2012; o la Nit del Versador organitzada el passat 2013 per l'escola La Masia de Museros (l'Horta).

Passa el futur de la cançó improvisada a casa nostra per l'escola? Ho desconeixem, però segurament no seria el més desitjable. L'escola pot fer un paper substancial en la difusió i promoció de la cançó improvisada, de la mateixa manera que la improvisació pot aportar molt a l'escola. Però el seu aprenentatge va molt més enllà de la unitat didàctica, els materials manipulatius i els continguts actitudinals: una cosa és aprendre «amb la cançó improvisada» i l'altra aprendre «a improvisar», fer-se poeta repentista.

El cantador valencià Josep Aparicio *Apa* es lamentava que una de les conseqüències negatives de la proliferació d'escoles de cant d'estil era la inflació de cantadors (Frechina 2011: 83-84): «Hi ha molts cantadors que es lloguen sense acabar de madurar i donen una imatge que no és bona [...] un no es pot fer cantador de la nit al matí i, per desgràcia, hi ha alguns que es pensen que això és possible». En termes semblants, i mostrant un gran pessimisme, es mostrava el glosador menorquí Bep Coll (Tur 2013: 67): «[el glosat] un poc se mos mor, se mos mor i el volem fer ressuscitar a qualsevol preu. Quan tu col·loques un perfum molt bo dins una botella molt petita, es perfum queda concentrat; però quan tu vols fer aquesta botella de dos litres i es perfum és es mateix, es dispersa molt. I açò és lo que ha passat as glosat».

Josep Vicent Frechina

La cançó improvisada ha protagonitzat en els darrers anys una interessant revitalització, amb noves funcionalitats i en nous contextos, de la mà d'algunes formacións de folk i associacions i entitats diverses, entre les qual destaca Cor de Carxofa. En la imatge, Mireia Mena del grup De Calaix i l'associació Cor de Carxofa.

Tots dos feien al·lusió, de manera tàcita i segurament inconscient, a la tercera de les dinàmiques a què ens referíem unes ratlles més amunt: una dinàmica interessantíssima, ben bé exclusiva en les seues formes, que té com a única seqüela negativa aquestes petites interferències amb la primera que després comentarem breument. Es tracta d'allò que se n'ha dit glosat participatiu i que tindria com a epicentre principal l'activitat desenvolupada per l'associació Cor de Carxofa.

Cor de Carxofa era el nom del fanzine que al voltant de la cançó improvisada s'editava, sota l'impuls d'Helena Casas (Pomada), des de l'any 2002. L'any 2006, i després de que el nucli de gent que es movia al seu entorn, participara activament en les primeres Trobades de Cantadors d'Espolla, es va constituir com a associació. Hi havia, entre d'altres, Caterina Canyelles, formada en l'Escola de Sa Ximbomba de Sa Pobla, i membres de Pomada i de Calaix. En poc de temps, Cor de Carxofa es convertirà en el gran referent de la cançó improvisada a Catalunya: organitzarà tot de tallers per ensenyar a improvisar, participarà activament en qualsevol iniciativa relacionada amb la improvisació, utilitzarà intel·ligentment la xarxa com a poderosa eina d'agitació i publicarà el *Manual d'Iniciació a la Glosa* (2008) que esdevindrà la pedra fundacional d'un moviment anomenat Transglosadors. «glosadors sense gènere ni geografia exclusiva», segons ho definí Marcel Casellas (Riera 2009: 45).

En efecte, el *Manual* és una guia per a aprendre a improvisar sobre vuit gèneres dels Països Catalans, ordenats per grau de dificultat: perdiueta —tonada del Pirineu que no representa un gènere tradicional específic, però l'estructura de la qual convida a l'improvisació—, garrotín, corrandes d'en Carolino, jotes de l'Ebre, cançons de simbomba, cançons de pandero, albades i glosa menorquina.

Aquest model multigenèric s'implanta a la Trobada de Cantadors d'Espolla, a les Lligues de Glosadors que organitza la mateixa associació Cor de Carxofa i a les 12 Hores de Glosa —la primera edició de les quals se celebrà a Palma el 29 de desembre del 2007. Ràpidament el model s'estén per tot arreu: ateneus, casals populars, associacions culturals i entitats cíviques de tota mena organitzen combats de garrotins, nits de corrandes, tardes de glosa, cantades de nyacres, etc.

L'èxit multitudinari de la Trobada de Cantadors d'Espolla, organitzada en format de concurs a imitació de la Txapelketa Nagusia i on el guanyador s'emporta la corona de rei de les nyacres, obliga a traslladar la seua celebració al mes de juliol —tenia lloc al gener, amb motiu de la Fira de l'Oli— el que ha permés convertir els tallers de cançó improvisada que es feien coincidint amb l'encontre en tota una Escola d'Estiu de Glosa.

Aquest creixement sostingut —que, de moment, encara no ha tocat sostre— ha tingut, com dèiem, alguna petita derivació controvertida en superposar-se la dinàmica multigenèrica i participativa que s'hi promou a les dinàmiques tradicionals que funcionen amb fòrmules bastant diferents. En aquesta forma d'entendre la cançó improvisada prima la vessant lúdica, la celebració oberta i col·lectiva que es desenvolupa sobre nous rituals, amb la part musical dissociada del text i convertida en un element accessori i bescanviable. Si això es fa amb gèneres en desús com les cançons de pandero, la perdiueta o les nyacres, l'operació és innocua i no té efectes col·laterals. Tanmateix, si es fa amb gèneres vius que es descontextualitzen i, en certa manera, es poden percebre com a desvirtuats, és possible que es genere un cert malestar en els seus usuaris habituals: no és difícil entendre la perplexitat amb què un veterà glosador menorquí o un cantador valencià es miren aquelles voluntarioses gloses o albaes que apareixen, més o menys desfigurades —ni l'acompanyament instrumental, ni l'afinació, ni la tessitura, ni la col·locació de la veu, ni les circumstàncies, ni el ritual són els acostumats— entre jotes, corrandes i garrotins. Imaginem, però, que és qüestió de temps que s'accepte aquesta col·lectivització d'un patrimoni que s'entenia com a privatiu d'uns usufructaris concrets que l'havien rebut en custòdia.

Una altra repercussió problemàtica de tot plegat, una mica més complexa, és la que explica Anaís Falcó (2014) en referència a la festa de sant Sebastià de Cadaqués: la presència de persones externes al ritual que intenten afegir-s'hi a la improvisació de patacades, coarten els participants i acaben distorsionant el model festiu del qual volen participar.

El foraster intenta veure l'activitat sota els prejudicis creats, o encara pitjor els intenta imposar. Però, no només el foraster. A vegades el mateix grup transforma la seva activitat en favor de crear un producte per a l'altre.

L'element extern actua així com una mena de basilisc, en afortunada metàfora de l'autora, que petrifica o mata allò que mira.

Aquests desajustos, potser inevitables per la ràpida extensió del fenomen i l'entusiasme que indueix, no ens poden ocultar, però, la seua important incidència popular que ha tingut dos moments estelars de gran ressò mediàtic.

El primer, tingué com a protagonistes el grup Manel —la darrera gran revelació de la música popular catalana— i Pep Guardiola. Manel havien inclòs al seu primer disc una cançó anomenada «Corrandes de la parella estable». Durant els seus concerts el grup solia convidar el públic a pujar a l'escenari a improvisar aquestes corrandes, cerimònia que repetiren en un concert realitzat el febrer de 2012 al Palau de la Música Catalana amb l'entrenador del Barça a la platea. Això ocorria just en les setmanes en què se'n discutia la renovació i els aficionats començaven a estar neguitosos per la seua manca de resposta. Aleshores va pujar una parella a l'escenari i va cantar:

> Sols demanem una cosa
> que el Guardiola renovi.
> Ens ha costat Déu i ajuda
> arribar fins aquí.

Casualment o no, Guardiola renovà per un any més durant aquella setmana i tots els mitjans de comunicació atorgaren un paper catalitzador a la corranda i permeteren, per uns dies, redescobrir les poderoses funcionalitats d'intervenció social que propicia la cançó improvisada.

El segon es va iniciar el 22 de gener de 2011, quan la xarxa social Twitter s'inundava de piulades amb el *hashtag* #garrotweet arran de la incitació realitzada per Oriol Beltran *Uru* que havia escrit:

> Perquè els folkis 2.0
> no quedin en entredit
> provoco el noi del Pandero
> i inauguro el #garrotweet.

Es tractava, efectivament, de jugar amb la doble restricció del màxim de 140 caràcters per piulada que imposa Twitter i els quatre versos heptasíl·labs de la cobla tradicional —aquí vinculada al garrotín. El més significatiu de l'anècdota, però, no va ser l'abundància de piulades, que encara dura, sinó l'estranya eufòria que desprenien els participants i els redactors dels nombrosos mitjans de comunicació que se'n feien ressò. Una eufòria que provenia del sentiment de conciliació, suscitat per un joc tan inofensiu i banal com el descrit, entre una tradició ben arrelada i una de les formes de comunicació més rabiosament contemporànies. Personalment, ho vaig viure amb un dring d'estranya satisfacció: no sé si era la vessant investigadora que s'alegrava de trobar un nou filó o la part sentimental que intuïa en aquest exercici de condensació de valors tradicionals i moderns un passet endavant més cap un lloc que, tot i desconegut, es pressent certament atractiu.

Gèneres de cançó improvisada a la Mediterrània

Cant valencià (País Valencià)

El cant valencià està conformat en realitat per dues modalitats de cant, íntimament relacionades entre si pel que fa a funcionalitat, contingut literari i intèrprets, però amb notòries diferències formals: el cant d'estil i les albaes. Totes dues s'interpreten encara avui en multitudinàries rondes nocturnes —dites guitarraes en el primer cas i nits d'albaes en el segon— i exigeixen unes condicions vocals privilegiades, tant en volum de veu com en tessitura. Cantadors i cantadores manifesten un esforç considerable a l'hora d'atacar el cant, sempre vorejant el límit del registre agut i expulsant l'aire sense cap mena de recolzament abdominal, a gola oberta.

Igualment, són cants d'interpretació individual semiadornats o melismàtics. Algunes síl·labes, especialment al final de les frases musicals, es corresponen amb un nombrós seguit de notes: més de quaranta en algun dels exemples analitzats per Jordi Reig en l'*Antologia del cant valencià d'estil (1915-1996)* (1997) —en la terminologia popular se'n diuen requints. A més, es canten a l'aire, és a dir, amb una llibertat rítmica que qüestiona, en el cas del cant d'estil, el ritme mesurat de l'acompanyament instrumental. Tradicionalment, s'ha distingit entre dos formes d'interpretació pel que fa a l'articulació de la veu: el cant pla, més antic, amb pocs melismes, una tessitura menys forçada i un àmbit melòdic estret; i el cant requintat, molt més ric en ornamentacions, interpretat sobre un registre més agut i, per aquesta raó, amb un àmbit melòdic sensiblement més ampli.

El cant d'estil s'acompanya de rondalla mixta de vent i corda —guitarra, guitarró, clarinet, trompeta i trombó— i el conformen en l'actualitat una sèrie de tipologies de cant que reben el nom genèric de valencianes i els noms específics, d'u, u i dos, u i dotze i, amb menor implantació, riberenques.

Històricament, hi havia altres modalitats de la mateixa família com el set i dènou, el dos, l'u i mig, l'onze o el dotze i u.

Desconeixem la raó d'aquestes denominacions numèriques que s'han atribuït, històricament, a posicions de la mà en la guitarra o passos de ball.

Musicalment, les quatre modalitats pertanyen a la gran família del fandango. L'u és una variant molt comuna del que s'anomena fandangos del sud —que al territori valencià es coneixen amb diverses denominacions: malaguenya, en les comarques més meridionals; ball de la safanòria a l'Alcoià; la sandinga a Xixona; les marineries a Castelló de la Plana; la villanera a Ibi; etc.

L'u i dos i u i dotze no tenen parangó amb ninguna altra espècie coneguda; el fet que posseeixen alguns trets característics de la jota — harmonia, passades de ball, nombre de frases musicals— ha fet que se popularitzara la seua denominació com a «jotes valencianes», denominació que mantenen alguns folkloristes encara avui. Com va argumentar Carles Pitarch (1997c: 6-7), però, la seua naturalesa musical està més pròxima a la dels fandangos que a la de la jota com fa pensar el seu acompanyament clarament afandangat.

En les tres modalitats es produeix un fort contrast entre la veu i l'acompanyament i, per resumir-ho d'una forma entenedora, aquest contrast rau en el fet que la veu es comporta d'una manera «antiga» mentre que l'acompanyament ho fa d'una manera «moderna».

Ho explicarem: la veu es desplega sobre escales modals on totes les notes graviten al voltant d'una nota que exerceix sobre la resta una forta atracció i la successió de tons i semitons segueix una pauta fixa —en el cas de l'u, per exemple, esta successió es correspon amb l'anomenat «mode de Mi» que es pot trobar en moltíssims cants tradicionals de tota la ribera mediterrània. L'acompanyament instrumental, en canvi, es governat per les tonalitats pròpies de la música culta occidental.

D'altra banda, i per una raó semblant, l'afinació de la veu no encaixa completament amb l'afinació dels instruments acompanyants. Els intervals sonors de la veu responen a una afinació antiga, anomenada atemperada, que no respecta els intervals establerts per l'afinació moderna —que fa coincidir els sostinguts i bemolls de les notes contigües— i que respon amb molta precisió, com ha demostrat el matemàtic Vicent Liern per al cas del Xiquet de Paterna (2004), als intervals de l'afinació pitagòrica: concretament, es constata la reiteració d'un La més greu que el La natural però que no arriba a ser el La bemoll de l'escala temperada actual.

Esta afinació desacostumada i l'anticipació dissonant de la melodia al final d'algunes frases respecte a l'harmonia que desenvolupa l'acompanyament —la veu acaba la frase amb una nota que no pertany a l'acord que toquen els instruments d'acompanyament sinó al que tocaran uns compassos després— confereix a les interpretacions una estranya tensió i una inexplicable bellesa.

L'u i dos i l'u i dotze es diferencien l'un de l'altre per la diferent tonalitat amb què es realitza l'acompanyament i, per tant, el diferent mode de la melodia —és a dir, el diferent «ambient sonor».

Tant l'u i dos com l'u i dotze tenen set frases musicals o 'terços' en les quals es reparteixen quatre o cinc versos (dits 'paraules' en l'argot del cant). L'u té una frase musical menys: consta, doncs, de sis terços amb els mateixos quatre o cincs versos que les altres.

Les albaes s'acompanyen de tabal i dolçaina i solen interpretar-se amb dos cantadors que es reparteixen les seues sis frases musicals en dos meitats: la primera introdueix el tema i la segona el conclou i permet al cantador exhibir el seu virtuosisme vocal. La seua major simplicitat interpretativa permet al públic entendre millor els versos, amb la qual cosa la seua eficàcia comunicativa és molt superior a la del cant d'estil.

Les albaes estan documentades des de molt abans del cant d'estil —les primeres mencions explícites del qual, almenys en les seues actuals denominacions, daten de la segona meitat del segle XIX (Pitarch 1997c: 23-24).

Els textos que es canten en les interpretacions de cant d'estil o les albaes són improvisats in situ pel cantador o, més sovint, per un versador especialista. Realment són pocs els cantadors que, tot i excel·lir en l'art de la improvisació, prefereixen versar-se ells mateixos abans que confiar en una tercera persona. Així li ho confessava fa uns anys un cantador tan experimentat com Apa a Josep Antoni Collado (1997): «L'èxit d'una cantà rau, en un cinquanta per cent, en el versador; i l'altre cinquanta, en el cantador. Personalment, preferesc quan cante, no versar. El cantador ha d'estar només per la faena i el versador és qui ha d'anar captant l'ambient que, en definitiva, serà la font d'inspiració».

Així, el versador, plantat al costat del cantador, li dicta la cobla a cau d'orella vers a vers. L'assisteix l'anomenat *llistero,* persona que organitza la cantada i informa al versador de tots els detalls sobre les persones o fets que aquest necessita per a confegir els versos. En alguns pobles —el Puig (l'Horta), per exemple— les albaes es compren als clavaris que tenen que fer un important esforç logístic i organitzatiu amb el llistero per fer la ronda pel poble i que el versador improvise versos per a tots els qui han contribuït econòmicament.

Entre els versadors que també han sigut cantadors destaquen Josep Garcia *Maravilla,* Vicent Bernabeu *Carabina* (1849-1914), Evaristo Payà (Alcoi, 1874-1951), Francesc Albert *el Muquero* (Burjassot, 1875-1954), Francesc López *el Cabiscol* (Campanar, 1883-1928) —el primer gran versador de renom—, Miquel Marco *el ceguet de Marjalenes* (Marjalenes, 1888-1940), Antoni Fèlix, *el Ruc del Puig,* (El Puig, 1890-1940), Sixto Fèlix *Sixto del Puig* (El Puig, 1901-1969), Vicent Peris *el Xiquet de Paterna* (Paterna, 1904-1939), Concepció Gil *Conxeta la del Mercat* (València, 1910-1998), Manuel Marzal *el Xiquet de Mislata* (1918-

Joan Miquel Chisvert

El cantador Josep Aparicio Apa *interpreta un* u i dos *en l'edició de 2003 del Cant al Ras de Massalfassar (l'Horta). Al seu costat, el versador Josemi Sanchez i la cantadora Teresa Segarra.*

1993), Josep Estellés *el Xiquet del Carme* (València, 1937), Josep Bahilo (Sagunt, 1940-2011), Enric Pastor *Pastoret* (València, 1941), Vicent Izquierdo *el Naiet* (Bétera, 1949), o els actuals cantadors d'albaes de Xàtiva que es versen ells mateixos: Paco Roca, Gachi, Poma, Gallo i Òscar Roca.

I entre els versadors especialitzats hauríem d'anomenar Quelo de la Romera, el tio Bruno del Puig, el gran Manuel Ortí *el tio Nelet* (Alqueria del Corredor, Sant Isidre 1900-1976), Paco Ortí (Alqueria del Corredor, Sant Isidre, 1940-2013), Lluís d'Alfarb, Enric Gironés, Josep Martínez (Xàtiva, 1953-2007) Francesc Nicasio *Paco de Faura*, Salvador López *Voro de Paterna*, Àngel Roca (Llocnou d'en Fenollet), Vicent Ribelles *Vicent de Rosa* (El Puig), Carles Bahilo (El Puig), Josemi Sánchez (València), Juan Sebastià *Juan d'Anna* (Puçol), etc.

Els versos, tant en les albaes com en el cant d'estil, expressen sempre una opinió que s'exposa directament, alabant o criticant alguna persona o algun fet, o indirectament, mitjançant recursos com la ironia, el sobreentés, l'exageració, etc.

Una albà dedicada és sempre un homenatge d'estima o respecte —com ja s'inferia en el *Col·loqui de Pepo i els trastos de casa*, del segle XVIII (Martí 1996: 185):

Perquè sàpies que te vull
te vaig a fer una albada

Però també és pot fer en sentit contrari: com a censura, crítica o desautoritza-ció. Així ho explicava Manolo Marzal *el Xiquet de Mislata* (2009: 273): «El cant de les albaes és festiu, maliciós i punyeteret com el so de la dolçaina. En cinquanta anys de cantador i versador jamai he entropessat ab algun destinatari d'una albà que se enfadara lo més mínim ab lo descarat del vers; i se n'han fet de valentes!».

Una altra de les grans idees-força que travessa les albaes i el cant d'estil al llarg de tot el segle xx és l'exaltació de la valencianitat i de la tradició local:

Jo com a bon valència
m'agrà el menú a la vella:
bon vi en la bóta en la mà
l'all i pebre i la paella
all-i-oli i carn torrà.
>   Cantada per Naiet de Bétera i Victorieta, 1990
>   (*Antologia del cant...*, 1997)

Aquell que el cor no li bote
sentint dolçaina i tabal,
ni ha conegut a València
ni te cor de valencià.
>   Enric Gironés
>   (Josepa Blasco i Apa, *Cant d'estil*, Valdisc, 1986)

Oblidats de l'antigor
per el progrés que destaca,
València perd lo millor:
l'alqueria i la barraca
l'Horta i el llaurador.
>   Voro de Paterna
>   (Grup Mari d'Aldaia, *Albaes i cant d'estil*,
>   Lo-Fi Records, 2003)

Però era també bastant habitual escoltar albaes i valencianes en les lluites obreres i camperoles de finals del segle xix i principis del xx. Així ho feia el Xiquet de Paterna (Vicent Peris, 1904-1939), afusellat pels vencedors de la guerra del 1936-1939, en alguna de les estrofes que ens han pervingut:

> Hui València és lo millor
> que en esta terra se cria
> dejuna el treballador
> i menja la burgesia.

O els vaguistes de la jutera de Vinalesa durant la vaga iniciada el vint d'octubre del 1919 que es perllongà durant vuit mesos:

> Entre Foios i Albalat
> hi ha una séquia cantonera.
> Ha caigut un esquirol
> i si no el trauen s'ofega.

En els darrers anys s'ha assistit a una progressiva recuperació de la presència pública del cant valencià i a un increment del seu prestigi social.

La publicació de l'*Antologia del Cant Valencià d'Estil* (1915-1996), com he dit adés, suposa un autèntic revulsiu que acaba de dinamitzar una conjuntura decididament favorable per a la repopularització del cant d'estil: creix el nombre d'escoles on s'imparteix l'ensenyament del cant; s'organitza, el 1998, el primer Dia del Cant Valencià d'Estil que des d'aleshores no ha deixat de celebrar-se inclòs en el programa d'actes del 9 d'Octubre; el febrer del 2007 té lloc a Mislata el Primer Concurs Cant Valencià d'Estil per a intèrprets novells «Salvador Quiles Mir» —on se suma el 2009 un concurs de versadors; es funda l'any 2008 l'Associació d'Estudis de Cant Valencià; l'any 2010 Carles Pitarch, principal investigador del gènere, defensa la seua tesi doctoral a la Universitat de Maryland, en els Estats Units, *Singing boundaries: Toward understanding vocality and the performance of identities in cant valencià d'estil*; s'aprova l'any 2012 la inclusió del cant valencià als conservatoris; i noves generacions hi redescobreixen una eina comunicativa d'enorme poder expressiu.

Això propícia una profunda renovació dels seus textos per part d'alguns versadors, com es pot comprovar, per exemple, a les versades del cantador José Manuel Cháfer *Gallo* en Xàtiva que pot adreçar-se a l'alcalde de la ciutat i president de la Diputació en aquests termes (Cerdà 2007):

> No hi ha res com governar
> en les tres diputacions

> sinó veges d'on eixiren
> els 100 kilos d'Elton John

O en les de Josemi Sánchez —algunes recollides en el llibre *Pensaments casolans*, que publicà juntament amb Trini Carballo— que aborden temes fins aleshores inèdits com la violència de gènere, la publicitat sexista o els matrimonis homosexuals (2006:15):

> Amb un canvi decisiu
> ja es casen homosexuals
> i amb raó la gent ho diu:
> una casa amb dos pardals
> clarament pot dir-se niu.

Aquest canvi de tendència només podria consolidar-se, però, amb la incorporació al cant de versadors joves que portaren amb ells les seues inquietuds i el seu llenguatge actual. Això, malauradament, sembla molt lluny de fer-se realitat i estén un núvol de dubte sobre una expressió cultural que, malgrat tot, mira al futur amb relatiu optimisme.

Glosa (Mallorca)

Es tracta d'una de les tradicions de cançó improvisada millor documentades de la Mediterrània, almenys pel que fa a les dades biogràfiques i la producció poètica dels glosadors que l'han protagonitzada, ja que des del segle XIX despertà l'interés i admiració d'erudits i cronistes locals; interés que s'ha estés fins a l'àmbit universitari contemporani com es pot constatar als treballs de Fèlix Balanzó (1982, 1984), Gabriel Oliver *Biel Majoral* (1982), Miquel Sbert (1987, 1992, 2000, 2009), Antoni Serrà (1996, 1997, 1999), Joan Miralles (1996), Damià Ferrà-Ponç (1972), Felip Munar (2001, 2005, 2008, 2009), Gabriel Janer (1987), Antoni Vives (2008), Jaume Vidal (1985), etc.

Per aquesta raó disposem de dades nombrosíssimes i de documentació molt reculada, que contrasta amb els buits documentals de molts altres gèneres al nostre país.

La glosa mallorquina té com a trets principals, d'una banda, el fet que es canta sense acompanyament instrumental i amb una tonada que cada glosador ha fet seua —encara que des de la revifalla recent del glosat, els glosadors disposen d'un grapat de tonades d'on triar—; i, de l'altra, la seua flexibilitat estròfica que permet al cantador adaptar el nombre de versos a les seues necessitats expressives. Amb un mínim de quatre i un màxim que rarament supera els dotze versos, es donen amb molta més freqüència els recomptes parells —4, 6, 8, 10, 12— però n'hem pogut trobar exemples de qualsevol quantia entre tots dos extrems. Independentment del nombre de versos —que, com a Menorca, es diuen mots—, l'estrofa conté sempre dues úniques rimes que es combinen lliurement però s'evita fer-les coincidir en els dos primers o en els dos darrers versos.

Històricament, els glosats es feien a les festes cíviques i religioses, al teatre i, sobretot, a la taverna, el seu territori natural com ja ho documenta en els seus papers Josep de Togores, comte d'Aiamans, ell mateix glosador diletant, tot explicant una anècdota protagonitzada pel llegendari glosador *Planiol* (Mas 1995: 11-12):

> Uns cuants amics d'en Planiol li havían pagat es bèurer moltas vegadas, perquè los feya glosas de taverna en taverna, sense pagar may, però es cap derrer entraren dins una y digué en Planiol, com ja anàvan ben embruscats:

Dau bèurer y de mi cobrau
que trob qu·és just y rahó,
axí m'enpendrà, senyor,
com aq[ue]ll xot passador
que n'arriba molts a piló
però es derrer cop hi cau.

El format de glosat consistia en el combat entre dos o més glosadors —rara vegada més de quatre— que defensaven postures oposades o representaven papers antagònics, de vegades personificats en ells mateixos, tot simulant una llarga enemistat. Rafel Ginard escrivia a *El cançoner popular de Mallorca* (1960: 102-106) una impagable descripció d'un d'aquests glosats, d'on n'hem extret uns fragments que difícilment millararíem:

La sala, de gom en gom. Les gloses fan olor de multitud. Flotant sobre els setials de la sala, un copiós adreç de cares que només hi compareixen en dies així. Les gloses criden el seu públic.

[...] Són dos glosadors. Una taula sobre l'escenari, amb un pitxer d'aigua i dos tassons. L'aigua és per reblanir l'aresta o rogall de la gargamella i per rebaixar, si hi importa, l'alta temperatura a què el propi esforç creador posa als glosadors.

[...] La funció comença. Els glosadors s'alcen de la cadira i romp el foc el qui va sense barret. Després d'invocar Déu, demanar la seva ajuda i sol·licitar, per mera cerimònia, l'autorització de les autoritats, saluden la concurrència, tot desitjant que surti de l'acte complaguda.

S'assenten de nou, i, darrera aquest indefugible exordi, entren de ple en la glosada. S'alaben burlescament, i aviat són a les fisconades. Componen les cançons cantant.

[...] No s'espunten. Allò no són agravis, sinó un enginy per entretenir el públic amb l'emoció del combat. Insults repetits cent vegades, amb escasses variants.

[...] És entretingut anar registrant les reaccions de la multitud. Riuen estrepitosament, s'admiren, s'embadoquen, i com més vinagre i sal i pebre coent va amanida la cançó, més hi floquen...

Al contrari que en altres territoris, el glosat mallorquí compta des de ben aviat amb l'apreciació de molts intel·lectuals illencs admirats davant la inventiva,

Josep Vicent Frechina

L'emergència d'una nova generació de glosadors, pletòrica d'energia i talent, augura un futur immediat ben falaguer per a la glosa mallorquina. Mateu Matas Xurí n'és la veu més celebrada.

la destresa i la ferocitat dialèctica dels glosadors. Ja en el segle XIX es troben diversos testimoniatges d'aquest capteniment com el que ens oferia Tomàs Aguiló i Forteza durant unes conferències realitzades a la Asociación de Católicos l'any 1873 (Miralles 2007: 192-193):

Y no se crega que parlant seriament de s'art no puguem treure á ròtlo es nòstros glosadors encara qu'ells no s'hajan formada sa mes petita idea ni de sas condicions, ni de s'importancia, ni de s'objecte de s'art. Si tan se vòl direm que son com es rossiñols que cantan bellíssimas tonadas sensa sebre lo qu'es música, ó com sas beyas que fabrican tan igualment sas cetletas d'una bresca sensa sebre lo qu'es arquitectura ni geometría. Obra de glosadors vé á ser lo qu'ara s'anomena *poesía popular*, y d'aquesta no se pod prescindir cuand se tracta de s'origen de sa literatura. Jo no diré que tot cuant fan es glosadors sïa bò, ni sisquera que puga passar, que tots tengan un talent des mateix valor ò que Deu los haja repartid aquesta gracia amb iguals proporcions; pero no digueu tampoch que tot cuand fan sïa despreciabble y qu'es seu dò natural se reduyesca á tenir una oreya eczertidada an es ritme de sa versificació, y á certa facilidad per trobar consonants que surten mes ó menos ajustads an es seus conceptes. Sortidas ingeniosas, pensaments delicads, rasgos tan fins tenen á vegadas que no los despreciaria un poeta d'es mes instruids y celebrads...

Certament, quan Aguiló pronuncia la conferència, el glosat comptava amb il·lustres representants com Antoni Garau Vidal *mestre Lleó*, (Llucmajor, 1818 – 1908) i quedaven pocs anys perquè irrompera una generació veritablement gloriosa: Gabriel Sampol (Montuïri, 1864 – 1944), Bernat Rigo *es Cabo Loco* (sa Cabaneta, Marratxí, 1870 – Coll d'en Rabassa 1936), Llorenç Ferragut *Cartutxo*, (Sencelles, 1880 – 1954), Llorenç Capellà *Batle* (Llucmajor, 1882 – Algaida, 1950), Sebastià Vidal *Sostre* (Cas Concos, 1888 – 1966) i Guillem Crespí *Es Panderer* (Santa Margalida, 1890 – 1948).

Aquesta generació traça el perfil definitiu del glosat tal i com el coneixem en l'actualitat, consolida el prestigi dels glosadors com a personatges incòmodes, difícils de fer callar malgrat la repressió a què es veuran sotmesos la seua majoria durant la dictadura franquista, i passa el testimoni a una nova fornada de glosadors que faran de pont entre el món de la glosa tal i com es vivia a la societat rural tradicional i el de la societat urbana contemporània. La conformen, entre molts d'altres, Jaume Calafat (Valldemossa 1901 – Son Servera, 1982), Joana Serra *Cartera* (Búger 1908 - 1991), Miquel Massanet *Parrí* (Porreres 1910 – Montuïri, 1997), Miquel Perelló *Canta* (Búger, 1915 – 1990), Sebastià Nicolau *Senisu* (Manacor, 1923 – 2003), Jordi Torrens *Mirató* (Llubí), Joan Planisi *Planisi* (Manacor, 1928); Antoni Socias *Pobler* (sa Pobla, 1929-2011) i Rafel Roig *Carritxoner* (es Carritxó, 1933).

Ells veuran llanguir la glosa enmig del *desarrollismo* turístic de l'illa, convertits a poc a poc en un pintoresc exotisme interior, amb la seua força comunicativa estroncada i el seu discurs enrocat entre l'autoreferència i la resignació. Durant els darrers trenta anys del segle XX no surt cap glosador nou (Munar 2005b).

En la dècada de 1980, però, i en el context dels processos de redescobriment i rehabilitació de la identitat col·lectiva, tants anys negada pel franquisme, comencen a donar-se les primeres passes perquè la glosa recupere el terreny perdut.

L'any 1984, se celebra a Pòrtol la I Trobada de Glosadors de Mallorca amb la intervenció de Joana Cartera, Jordi Mirató, Joan Mas, Joan Planisi, Pep Vallori, Jaume Juan, Pau Ferrer, Antonieta Rebassa...

Són els anys també en què el món acadèmic comença a interessar-se per la figura del glosadors individuals i es publiquen els primes estudis monogràfics —la revista *Lluc* en dedicarà un número l'any 1987.

Tot això va assentant les bases per a que, una dècada després, i sota l'impuls de l'Associació Cultural Canonge Santa Cirga de Manacor, la celebració de la I Mostra Autonòmica de Glosat reunesca glosadors de Mallorca, Menorca, Eivissa i Formentera i acabe de fer saltar la guspira perquè s'encenga una petita revolució cultural.

És l'any 1999 i, en només una dècada, el panorama dóna un tomb de cent-vuitanta graus amb la irrupció d'una jove generació de glosadors, encapçalada pel devessall de talent que representa Mateu Matas *Xurí* —l'amo Antoni Socias li va dir en descobrir-lo: «Mateu, hem esperat a tornar vells a que sortissis tu» (Frechina 2013: 67). Les mostres autonòmiques es transformen en mostres internacionals, els glosadors mallorquins entren en contacte amb improvisadors d'altres latituds i tenen ocasió de mostrar el seu art a l'estranger, es publica el *Manual del bon glosador* (2001) de Felip Munar que obre el món de la glosa a qualsevol persona interessada en aprendre'n, la glosa recupera presència pública als mitjans de comunicació —Mateu Matas *Xurí* publicava una glosa diària al *Diari de Balears*, Jordi Guaita (Miquel Julià) ho feia a l'*Última Hora* i Miquel Sbert mantenia una columna setmanal sobre glosa i glosats titulada «Llengua de glosador»—, i les vetlades de glosa es multipliquen per tota la geografia mallorquina protagonitzades pels vells glosadors que es mantenen en actiu —Socias, Planisi, Rafel Roig...— acompanyats d'un estol de joves i no tan joves que s'afigen amb entusiasme a l'esclat improvisador: Miquel Angel Adrover *Campaner*, Sebastià Adrover *Roca*, Miquel Cano *Garvinyet*, Jordi Cloquell *Artiller*, Llorenç Cloquell *Màgic*, Maria Magdalena Crespí *Morbereta*, Margalida Cortès *Manacorina*, Macià Ferrer *Noto*, Toni Figuerola *Barrotes*, Catalina Forteza *Blava*, Antoni Galmés *Prim*, Jaume Juan *Toledo*, Antoni Llull *Carnisser*, Pere Joan Munar *Pomer*, Xisco Muñoz *Foraster*, Antònia Nicolau *Pipiu*, Joan Palou *Burino*, Blai Salom, Maribel Servera *Figona*, Antoni Viver *Mostel*...

La fundació de l'Associació de Glosadors l'any 2008 i la creació d'un portal web (www.glosadorsdemallorca.com) que centralitza tota la informació i l'agenda dels glosats, consolida el renaixement d'una glosa que s'enfila de nou cap amunt, orgullosa del seu passat insurrecte i del seu present combatiu: un capteniment que Mateu Xurí atrapava en els versos del pregó que, en forma de glosat, va pronunciar durant les festes de Santa Margalida del 2012 (Frechina 2013: 69)

> Vull tenir el dret a ser
> tot allò que m'han llegat.
> Som... per una identitat,
> i per ella em faig valer.
> Fins que em quedi un bri d'alè
> no quedaré boca closa.
> La consciència m'imposa
> ser amb el poble compromès.
> Per qui vos parla, això és
> la funció que té la glosa.

Glosa (Menorca)

La glosa menorquina és una de les formes de cançó improvisada més belles de la Mediterrània. El seu ritme parsimoniós, la seua construcció melòdica —amb una sortida en la part alta de la tessitura i un seguit de línies descendents de caràcter sentenciós—, la seua dicció que subratlla cadascuna de les caigudes i que recorda llunyanament el fraseig del *rebétiko* grec, i la seua molt sovint enrevessada retòrica —els primers mots adopten la forma d'un circumloqui que conclou amb la descàrrega semàntica dels darrers— li atorguen un to sever i transcendent, malgrat que el seu contingut puga ser ben murri i sorneguer.

S'acompanya sempre amb una melodia de guitarra anomenada «ses porgueres», terme d'etimologia poc favorable: és el que queda al garbell després que haja passat el gra, encara que podria fer referència a una de les ocasions en què s'havia interpretat, al final de la batuda del gra, després de les mesurades, quan a l'era només queden les porgueres. Això almenys és el que explica la llegenda fundacional del gènere que corre per l'illa, segons li contava el glosador Miquel Ametller a Llúcia Pons (2005: 10-11):

> La glosa va sortir pràcticament damunt una era, a unes mesurades. Aquell any les mesurades del lloc havien anat molt bé i el senyor havia dit a tota la gent del contorn que hi anessin perquè hi havia un munt de blat que feia por. I quan van acabar de mesurar el blat, com que havia anat tan i tan bé, el senyor va demanar a l'amo que cantés una cançó perquè ell en sabia improvisar. Fixa't que dic cançó. La paraula glosa va sortir pràcticament damunt de l'era perquè l'amo, per rallar, s'enganxava, tartamudejava. Però sabem que una persona tartamuda, rallant, s'enganxa, però no cantant. Així que va fer la cançó i el senyor li va dir que, com que havia quedat tan bé, li havien de posar un nom a aquella cançó. I ell li va contestar que li haurien de posar «closa», com afirmant que era bona idea donar-li un nom a la cançó. El senyor va entendre «glosa» i glosa va quedar.
>
> Al mateix temps hi havia un missatge que sabia acompanyar aquestes cançons que feia l'amo, sempre amb la mateixa tonada, i van dir que ja que

havia sortit el nom de glosa damunt de l'era, l'acompanyament de la glosa es diria porguera (que és el que cau del munt de blat quan garbellen).

L'acompanyament en la guitarra també participa de la improvisació, perquè el sonador dialoga musicalment amb el glosador i tots dos retroalimenten d'aquesta manera la seua inspiració. Francesc d'Albranca el caracteritzava així (Camps 1987: 12): «la música, un si és no és somiosa, té quatre parts: dues en to menor, i dues en to major relatiu: tenint llunyana consemblança amb la malaguenya. S'acompanyament és a compàs rascat, a ple cordatge. Sa guiterra està dues o tres notes per davall es to d'orquesta».

L'estrofa base és de sis mots que solen avenir-se —així se'n diu de rimar— en la forma ABBAAB, però hi ha de 7, 8, 9, 10 o 12 mots amb diverses combinacions de rima en funció de les necessitats expressives. La flexibilitat estròfica és una ajuda per al glosador, que hi pot posar més o menys text en funció del que vulga dir, però un maldecap per al sonador, perquè ha d'adaptar-se als mòduls melòdics que munta el glosador d'acord amb els mots que posseirà l'estrofa.

El glosat solia tenir lloc en ocasions de celebració col·lectiva, al final de les porquejades —coincidents amb els «darrers dies», és a dir, el carnestoltes—, de les mesurades, en reunions familiars i també, òbviament, a les tavernes ubicades molt sovint en soterranis. Així retratava una d'aquestes tavernes l'escriptor castellenc Àngel Ruiz i Pablo (1946) en un llibret escrit l'any 1895:

> Figurau-vos un soterrani no molt alt ni de voltes ni massa ample ni demés llarg, voltat de bótes i barrils, amb un parell d'aspilleres i sa porteta d'entrada per tot espirai; amb teranyines de tota casta i grossària per cortinatges; amb un pis humit i ple de clots i bonys, i per tota il·luminació dos llums amb cruies: un propet de sa porta, s'altre penjat a una bóta col·locada per devers enmig des *salón*.

I d'aquesta manera descrivia el públic que acudia a les vetllades de glosat:

> Arribada que era s'hora, començaven a entrar en es soterrani es dilettanti d'es glosats, gent de camp, marineria, trencadors, carnissers, carreters, tot gent granada d'aquella antiga que s'estimava més un glosat i un bon got de vi que totes ses comèdies i zarzueles d'Espanya; públic selecte, qui s'avorria en es meetings i li trobava més mèrit a un glosador, que a tots es lletraferits i quefes del partido junts.

El glosat començava sempre —com encara ho fa en l'actualitat— amb unes gloses de cortesia, on el glosador es presentava i saludava la concurrència; després podia donar-se pas a una primera secció de comentaris d'actualitat que servia de noticiari, però també de crítica local i de xafarderia —algú s'havia encarregat prèviament de proveir el glosador amb informació ben sucosa sobre els darrers succeïts al poble, els secrets a veus i els darrers rumors—; d'ací es passava a la controvèrsia entre els glosadors —les gloses de *picadillo*— on aquests s'escarnien mútuament; més tard arribava l'hora de l'*assunto*: una dramatització on diferents personatges explicaven una història —«El soldat de Borriana» n'era una de les més populars— o discutien entre ells representant papers estereotipats com pagés, amo, madona i senyor o festejant, al·lota i sogra; i, finalment, es feien algunes xacres i les gloses de comiat. L'ordre no era necessàriament el que hem descrit i tampoc tots els glosats es dividien exactament en aquestes seccions, però això seria més o menys el model més difós. Entremig de les gloses, algú podia recitar codolades memoritzades que feien el mateix paper que les xacres: alleugerir i dinamitzar el glosat. La xacra és de ritme més viu que la glosa, s'acompanya també amb la guitarra i funciona com una creació col·lectiva on cada glosador interpreta dos versos que repeteix.

Ja hem dit unes pàgines més amunt que la primera notícia que pot relacionar-se amb el glosat data del 1683, però el primer nom venerable de la glosa menorquina és el mestre Josep Vivó de Ciutadella (1725-1791), ferrer d'ofici (Camps 1911); altres cantadors històrics són Joan Tudurí n'*Alianó* de Sant Climent, que morí a Maó el 1890; Sebastià Alzina d'Alaior, Francesc Borràs *Casolà* de Llucmaçanes (actiu durant la primera meitat del segle xix), Cosme de Son Blanc o Josep Reixac *mestre Bep Manxa* (Maó, 1843-1915), a qui se li atribueix alguna divertida invectiva, com aquesta adreçada a una capellà que li demanà una glosa (López 2007: 390):

Es glosar a un sacerdot
enmig d'es carrer no hi treu,
perquè ell ben menja i beu
i un qui fa feina no ho pot
i guanya qualque durot
predicant lo que no creu

Ja en el segle xx, destaquen els noms d'Andreu Pons *Soliveres de l'Havana* (1891-1947), Llorenç Pons *Barato* (Sant Lluís-Maó, 1970), Llorenç Janer *Vivetes* de Son Moscard (Fornells) (1902-1993), en Josep Triay d'Es Migjorn (1907–1983) i Antoni Olives *l'amo de Son Mascaró* (Maó, 1909-1981) que exercirà un important mestratge sobre la generació posterior, tal i com reconeixia el glosador Bep Coll (Tur 2013: 65): «M'ho va ensenyar l'amo en Toni. Un glosador s'ho ha de qüestionar tot, ha de tirar barreres baix i ha d'emprar es cap per interpretar. Has de tenir rebel·lia —me deia—, no te creguis res i a partir d'aquí fas es teu camí. A partir des moment que un glosador vol tornar submís es perd s'esperit des glosador. Val més dir ou que no arri».

El prestigi d'aquesta generació de glosadors traspassa l'àmbit local i, en una data tan precoç com la dècada de 1930, quan el turisme encara no ha començat ni a despuntar, el periodista Manuel Amat troba en els glosadors un poderós atractiu pel foraster i així ho escriu des de les pàgines de la revista barcelonina *Mirador* (1933: 2):

> ...hom pot escriure d'Alayor que és el punt de Menorca on es troben els millors glossadors, els més reeixits en aquesta poètica manifestació de la improvisació satírica. Ens explicarem: durant les nits d'hivern, en alguna taverna d'Alayor o bé en manta casa particular, hom decideix donar unes quantes hores de glosses. A tal fi es contracten dos glossadors de punta, els quals, per mitjá de petits versets improvisats, enceten i mantenen un tema determinat, una xafarderia local, per exemple, en constant actualitat durant hores i hores. Un tercer, amb el cap caigut, la guitarra a les mans, va fent una tonada d'acompanyament molt grisa i molt de malenconia de gitano. Això pot durar hores i hores. De vegades els glossadors es piquen de l'amor propi, les apostes comencen a fer bonic, el públic s'engresca mig per l'entusiasme de la lluita mig per l'alcohol de la beguda, i les glosses duren una pila de nits fins que un dels dos glossadors acaba els arguments i «abandona», amb la gargamella desfeta.- Pel turista, les glosses son un plat fort de primer ordre»

L'article d'Amat representa tot un símptoma perquè només dos anys després de que postulara el potencial turístic del glosat, té lloc la primera actuació a dalt d'un escenari, segons li va explicat el sonador Toni Pons a Aina Tur (2013:31-32), —se'n va dir el glosat d'El Mercantil. Després se'n feren alguns més de manera esporàdica fins a mitjans dels anys setanta quan comença a organitzar-los el Col·lectiu Folklòric de Ciutadella —1976 dins del marc del Congrés de Cultura Catalana (López 2007).

Miquel Ametller i Esteve Barceló Verderol, *són els noms més representatius de les darreres dècades de glosa menorquina.*

En aquells moments els habituals dels glosats eren, a més dels ja esmentats Josep Triay, l'amo en Toni Olives o Vivetes, Biel Cardona *S'Arader* (1914-2001), Pedro Vinent *l'amo de Carbonell* (1926-1996), Tòfol Llambies *l'amo de Binissequí* (1936-2008) i Miquel Ametller (1937), entre d'altres. Alguns s'organitzaven en grups més o menys estables per glosar junts com van ocórrer durant un temps amb Jaume Janer de Ferreries (1947), Xec Morlà en *Barbatxí* de Ferreries també (1938), n'Esteve Barceló *Verderol* de Ciutadella (1946) i Pedro Seguí *l'amo de Biniguardó* d'Es Mercadal (1936-2012). I com a sonadors d'anomenada hi havia Jordi Orfila (1928), d'Alaior i Toni Pons (1943) de Ciutadella.

Miquel Ametller i Esteve Barceló marcaran tota una època, la més recent, pel seu paper en la promoció de la glosa en un temps en què aquesta, com tantes altres manifestacions de la cultura tradicional, es troba en una cruïlla del tot desfavorable: els vells glosadors desapareixen i no en surten de nous, el glosat va quedant reclòs en un cercle cada vegada més envellit i la modernitat no sembla deixar lloc per aquestes antigalles folklòriques.

Tanmateix, la tasca dinamitzadora d'uns quants joves culturalment conscienciats —Joan F. López Casasnovas, Josep Portella, Gustau Juan— i la convicció de Miquel Ametller que l'únic futur possible passava per crear escoles de glosat —convicció que hagué de posar a prova amb les reticències dels glosadors més veterans i l'escassa resposta rebuda per les primeres provatures—, capgiraren completament la situació.

A poc a poc, i estimulats pel talent guspirejant que exhibien Ametller i Barceló cada vegada que tenien ocasió, molts joves començaren a acostar-se a les escoles de glosa i a augmentar lentament la nòmina de glosadors capaços de apujar-se'n a un escenari per estar tres hores glosant. No molts, però suficients per evidenciar la necessitat d'organitzar l'autogestió. El 1981 es planta la llavor que acabarà donant com a fruit la constitució formal de l'associació Soca de Mots el 1999. Durant aquest interval de temps, havien començat les classes nocturnes de glosa a l'Associació de Veïns Glosador Vivó (1986) i s'havia creat l'Escola Menorquina de Glosat (1995) (Pons 2003: 49). A més, al llarg de la dècada de 1990, els glosadors havien començat també a sovintejar les eixides fora de Menorca, amb la qual cosa la glosa es dóna a conéixer en moltes de les iniciatives convocades al voltant de la poesia oral improvisada al país i a tot arreu.

Actualment, són molts els glosadors que participen en els nombrosos glosats que se celebren a Menorca al llarg de l'any: Bep Coll, Moisès Coll *Zès*, Alfonso de la Llana, Joan Fortuny *Nanis*, Bep Guàrdia, Jaume Llambías, Vicent Marí, Joan Moll *Joanet*, Pere Pons, Pilar Pons, Toni Rotger, Paco Rotger, Miquel Truyol. I també ho són els sonadors: Eva Cardona, Toni Carreras, Nito Ferrer, Antoni Florit, Raül Gonyalons, Catalina Pons *Niní*, Martí Pons, Tolo Pons, Toni Sintes, Annabel Villalonga, etc.

Molts d'ells participaren en l'homenatge que el món de la glosa menorquina va dedicar a Miquel Ametller el 19 de novembre del 2011, un reconeixement que feia justícia a la seua decisiva aportació. Costa imaginar el moment tan dolç que viu avui el glosat, sense la seua feina incansable i sense la seua determinació. Una glosa —què sinó?— en deixa constància per sempre:

Somriu amb sa mirada
des present i des passat,
mos mostra tot un llegat
de paraula improvisada,
amb sa vida arrelada
dins sa terra des glosat
sa soca ha rebrotat
porgueres, rima, tonada...

Cançons de pandero (Catalunya)

Anomenades també «cançons de tambor» o «cançons de timbal», formaven part d'un ritual de capta històricament vinculat a les majorales de la confraria de la Mare de Déu del Roser, encara que també s'ha documentat per altres advocacions de la Mare de Déu i per a molt diversos sants.

En la seua forma més repetida, es cantaven al llevant de taula dels dies assenyalats —noces, batejos, primeres misses, festes majors...— amb la finalitat d'obtindre finançament per a fer millores en l'altar o en la imatge de la Mare de Déu. S'interpretaven habitualment en grups de tres majorales una de les quals les cantava acompanyant-se d'un pandero quadrat.

Valeri Serra i Boldú ho explica (1907 [1982: 29-30]) en el seu conegut treball, influència determinant en tots els estudis posteriors, amb tanta gràcia com precisió:

> La tocadora's posa'l pandero de punta mirant a terra, sostenint-lo ab les fonts dels braços, a fi de que li quedin lliures les mans per a poder tocar. Les majorales i acompanyantes se li posen pel costat y al darrera.
>
> El pandero no para may, esperant l'orde a qui festejar. Les majorales s'encarreguen de complaure als que volen cançons, fent unes vegades de tornaveu y altres de trovadores de l'hermosura.
>
> Allí estan elles per a cantar. Hi ha jove que'ls diu: «Canta-n una per aquesta noya». Si comprenen que la busca, tiren l'ham en nom del que fa cantar; si ja són un xic amics, els fan acostar; y si ja se sab que festegen, hi posen un bon foc.

Pere Vidal (1885: 4) descrivia una manera diferent de tocar el pandero al Rosselló:

> La personne qui en joue le tient de la main et du bras gauches et l'élève assez haut pour dérober sa tête à la vue des auditeurs; elle frappe de la main droite sur le côté invisible à ceux-ci.

El pandero, dit també tambor o pandó, sembla ser privatiu d'aquesta pràctica festiva. És quadrat, cobert de pergamí i decorat amb la imatge de la Mare de Déu o del patró i motius florals i religiosos. A més, sol portar a l'interior un filferro amb cascavells i, a l'exterior, ornaments de tela en les vores o flocs de cintes de color penjant dels escaires. En alguns llocs, s'ha constatat l'ús d'altres instruments de percussió com els timbalets que trobava Dolors Sistac (1993:22-23) a Baiasca (Pallars Sobirà).

La temàtica de les cançons estava totalment condicionada pel context on s'interpretaven i tenia sempre una caràcter encomiàstic i propiciatori. Així, es cantaven, en primer lloc, unes cançons de salutació i de llicència de la forma:

> Cantarem una cansó
> per tothom generalment.
> La Verge teniu à taula
> que demana de l'argent.
>
> Ne sem pobres pavordesses
> que no'n sabem de cantar,
> ara anem per aprenentes,
> no se'n cal amarvellar.
> (Vidal 1885: 14)

Després s'afalagava a cadascun dels presents de forma que tots es sentiren coaccionats moralment a contribuir econòmicament en la capta posant una moneda en la bacina que una de les majorales havia dipositat al mig de la taula. Aquestes cançons d'afalac podien eventualment prendre la forma de galanteig si es dedicaven a algun o alguna jove present:

> Valga'm Déu, poma vermella:
> jo no sé qui us cullirà.
> Vô n'heu pujada tan alta
> que ningú hi pot arribar;
> valga'm Déu, poma vermella,
> florida al Maig y a l'Abril:
> los fadrinets tenen guerra
> quan vos veuen tan humil.
> (Serra i Boldú 1907 [1982: 44])

Lo caminar feu de guatlla,
voladeta de perdiu:
als fadrinets de la vila
encativats los teniu;
lo caminar feu de guatlla,
lo parlar de cogullada:
als fadrins d'aquesta vila
los teniu l'amor robada.

(Serra i Boldú 1907 [1982: 45])

De vegades, fins i tot, per comanda d'algun dels presents, es cantava a algun animal o a algun objecte de la taula, com en aquesta «cançó de timbal» recollida per Joan Tomàs i Joan Amades a Alòs de Balaguer (la Noguera):

De negrillo va vestit
lo porró que a taula està.
De negrillo va vestit
ditxòs qui el despullarà.

(Tomàs-Amades 1930 [2003: 62])

Òbviament, la situació propiciava una oportunitat de socialització intersexual on la dona adoptava la veu cantant —mai millor dit— i podia prendre la iniciativa en el galanteig, fet que no es veia amb bons ulls des de l'àmbit eclesiàstic com demostren algunes prohibicions de la pràctica, com la decretada pel bisbe de Solsona a mitjan segle XVIII que recollia Valeri Serra i Boldú al seu monumental *Llibre d'or del Rosari a Catalunya* (Barcelona, 1925) i que nosaltres coneixem per Salvador Palomar (2004: 23):

Succeheix en nostre Bisbat que se junta una quadrilla de minyonas, y van per las plaças y casas sonant ab lo Pandero, y cantant diversas cançons; y apenas arriba al poble un foraster, sia en casa particular o sia en lo hostal, luego va aquella quadrilla a sonar y a cantar. Més a quina fi? A fi (dihuen) de replegar almoyna per la confraria de nostra Senyora del Roser [...]. Ni val dir, que ho fan per traurer charitat per la festa de nostra Senyora, y que si així no ho fan no se podrà fer la festa. No val, no per abonar tal costum: perquè aquella charitat que los hòmens fan, no és charitat sinó sensualitat: no dóna los diners per amor de Déu o de Maria Santíssima, sinó per lo amor, y gust que tenen de veure u ohir a las minyonas.

Les cançons rara vegada s'improvisaven —«els motllos estan fets y les canten molt depressa, fent semblar, com s'acostuma a dir, que se les pensen en peus» escriuria Serra i Boldú (1907 [1982: 32]). Es tractava més aviat, d'allò que s'ha convingut en anomenar «improvisació contextual»: la recomposició *in situ* de cada cançó recombinant una base de versos preexistent i afegint els elements necessaris per adaptar-la al context en el qual es canta.

I no sempre les cantaven les majorales: a Almacelles (Segrià), per exemple, a finals del segle XIX i principis del segle XX la confraria llogava una cantadora «que havia cobrat gran fama» improvisant rondenyes a les treballades, la qual compartia els guanys amb les majorales (Tomàs-Amades 1930 [2003: 39]).

L'estructura més habitual de les cançons és d'una doble quarteta, per bé que mitjançant la repetició i l'enllaç de diferents versos s'han recollit fins a cançons amb catorze frases musicals. Un recurs formal que s'hi repeteix amb assiduïtat és el dels jocs de simetria entre les dues quartetes: inici idèntic del primer vers i/o del tercer, etc.

El seu ús s'ha documentat a les dues vessants del Pirineu i a totes les co-marques interiors del Principat des de l'Urgell i la Noguera a la Ribera d'Ebre. El primer esment de què en tenim notícia es remunta a una data tan reculada com el 1507, en un albarà conservat a l'Arxiu Històric Comarcal de Cervera que registra el pagament de dos sous «a les fadrines de Vergós, que tocaren un tabal e cantaren e demanaren per la Verge Maria» (Miró 1999: 92). Al segle XVIII la pràctica ja està plenament difosa i consolidada: segons recull el *Llibre de la Confraria del Roser d'Alguayre*, custodiat a l'Arxiu Històric de Lleida, les majorales d'aquesta població del Segrià, cantaren en 86 casaments i 47 batejos entre 1719 i 1769. El mateix document registra la compra de dos panderos, un durant l'exercici 1753-54 i l'altre el 1766-67 (Terrado 2013: 15-16).

Les cançons començaren a caure en desús durant el primer terç del segle XX, quan encara es té constància de la seua interpretació en moltes comarques ca-talanes, especialment durant els batejos i, darrerament, viuen un procés de re-cuperació descontextualitzades del ritual al qual pertanyien i emmarcades en el moviment generat al voltant del folk i de la cançó improvisada, que hem comentat unes pàgines més amunt.

Grups i intèrprets com La Rural i Miquel Àngel Tena, Marcel Casellas, De Calaix, Coetus, Majorales de la nit, Sol i Serena, Guillem Ballaz, Krregades de romanços o Tornaveus han fet servir el pandero quadrat en els seus concerts —interpretant cançons de pandero o com un instrument de percussió més al servei de la pròpia proposta estètica. Ballaz, concretament, ha confegit un espectacle complet al voltant de les cançons de pandero passades pel seu filtre personal: «Projecte pandero», materialitzat en un disc homònim.

Molt recentment, a més, s'han revitalitzat les iniciatives d'estudi i difusió de l'instrument, el repertori i el ritual amb dues fites importants: el programa «Cantar amb el pandero» promogut per Carrutxa —amb la celebració d'una jornada al Masroig el novembre del 2013 com a acte més rellevant—, i la inauguració de l'exposició itinerant «Cançons de pandero» produïda pel Museu Etnològic de Barcelona.

Jota (Terres de l'Ebre)

La jota cantada improvisada de les Terres de l'Ebre —topònim supracomarcal que ha fet fortuna i que engloba les comarques de la Terra Alta, la Ribera d'Ebre, el Baix Ebre i el Montsià— és un gènere musical utilitzat històricament en rondes festives, amb especial incidència en les dues darreres comarques, però amb derivacions també cap el Maestrat i el Matarranya.

En els temps prefolklòrics se l'anomenava senzillament «cota» i al concepte de ronda feta amb cotes improvisades, «música de vent». Joan Moreira, un dels màxims difusors i defensors del gènere, recollia en el llibre *Del Folklore Tortosí* (1934: 420), la dita «Música de vent te fa? No es casarà». Més tard, ja en plena eclosió del folklorisme, se l'anomenà «jota tortosina» i avui se li diu majoritàriament —fora, això si, del cercle més apropat d'usuaris— «jota de l'Ebre», un apel·latiu carregat de tanta imprecisió geogràfica com de resolució identitària.

Totes aquestes vel·leïtats onomàstiques no han estat exemptes de debat. Un debat associat a les tensions entre identitat històrica i identitat moderna que transcendeix de bon tros l'àmbit estricte de la jota i afecta a moltes altres expressions culturals (Bayerri 2009).

La jota s'interpreta, com el cant d'estil, amb una rondalla mixta de vent i corda configurada, en la seua formació bàsica, per guitarra, guitarró, trompeta, clarinet i bombardí, encara que en la documentació més antiga es parla també de violins, bandúrries, acordió, tiples, pandereta, ferrets i castanyoles. L'encapçala un cantador, anomenat també enversador —una denominació que trobem també a diversos llocs del País Valencià—, el qual improvisa les cobles que en l'actualitat solen tenir sis versos —dits paraules: de nou, com en el cant d'estil— encara que antigament en tenien quatre. Hom atribueix l'ampliació al cantador de Sant Carles de la Ràpita Agustí Doménech *Perot* (1879-1956), però Moreira recull una cobla (1934: 432) que, de no ser apòcrifa, podria posar en dubte aquesta atribució:

Com les cançons que hai cantat
ne cantaria milanta,

però estic encatarrat,
i ja no'n puc cantá d'atra,
esta va per despedida
servidó, Mariano Manta.

Mariano Manta, com era popularment conegut Mariano Cid, és el primer nom documentat de cantador de jotes improvisades i havia mort l'any 1899, després d'una llarga malaltia (*Diario de Tortosa,* 14/07/1899), quan Perot tenia vint anys: potser massa jove per haver fet una innovació de tal calat que fos immediatament adoptada pel patriarca del gènere.

En qualsevol cas, el folklorista tortosí també imputa l'ampliació estròfica a la generació posterior (1934: 421): «los successors de Manta i Cabet son Pepe Monllaó, Tafalla, Caragol, Carrinya, Perot, Güèc i Llorens que han introduït les cobles de sis paraules (versos) que diuen ells».

Les rondes s'acostumaven a fer la vespra de la festa però la rondalla també intervenia en tota mena de celebracions festives i familiars —romeries, casaments, batejos, festes de quintos, etc.— i, en els anys de major expansió, a tavernes, cafès, o alternant, diumenge per altre, amb la programació de cinema (Rovira 2002: 41).

Quan la rondalla eixia de ronda, les cobles podien vendre's a preu fixe per peça. Moreira (1934: 421) en fa una precisa descripció de les diferents cotitzacions que hi havia a principis de segle XX: a la jove que es vol festejar, «dos o tres quincets, i de vegades, dasta una pel·la»; les de despit per haver estat rebutjat es pagaven menys «perquè les carabaces abunden i tenen poc valor»..Les més barates eren les que es dedicaven a les sogres: «estes, tot lo més, les pagaven a quincet hi hu trobaven car».

> Dos coses demano a Déu,
> quan me llevo cada dia,
> que ma sogra's fasse fondre
> o que l'agafe el tranvia.
> (Ibídem: 423)

En un article signat amb el pseudònim J. Mordente i publicat al diari tortosí *El Restaurador* el setembre de 1912, Joan Moreira evoca una ronda amb Mariano Manta i la seua rondalla:

Sale del café dirigiéndose la ronda donde los mozos indican.

—Aquí, Mariano.

—Estamos? ¡A les tres!!! – Toron Toron Toron, pon, pon, pon, pon, *empiezan guitarras y guitarricos, y violín y cornetín y clarinete y bombardino y castañuelas y ferrets rasgueando, rascando y soplando y repicando al pie de la ventana de la novia de alguno de los mozos de la ronda, a la que va dedicada aquella musica de vent.*

¡Aquí de Mariano Manta! Aquí del improvisar según los deseos del novio y circunstancias de la novia; aquí del derroche de inventiva; aquí en fin, del comprobar que cuando el pueblo se expansiona usando de la música y de la poesía, se le da una higa de todos los cánones y de todas las leyes y preceptos técnicos del arte. [...] *Oigamos a Mariano, entonar al son de la rondalla:*
[...]

> *Tu padre m'ha despachado*
> *tu madre no dice nada*
> *y tus ocos anchiseros*
> *me disen que no men vaiga.*
> [...]
> *La despedida de damos*
> *dama hermosa y agrasiada*
> *no cale que digas mas*
> *que m'has dado carabassa.*

Y termina la ronda cuando los mozos acaban de obsequiar a sus dulces tormentos, con la música de vent que dicen ellos.

Les cobles en castellà aproximat eren bastant habituals, segons es desprén dels reculls conservats, i evidencien un capteniment fortament diglòssic en què s'empra la llengua dominant com a instrument de legitimitat.

Podia ocórrer que la ronda es topara amb un altra i tots dos cantadors entraren en un contesa més o menys lúdica, però ocasionalment carregada de mala intenció. Així s'explica, en unes divertides pàgines incloses a *Del Folklore Tortosí*, la topada entre les colles de Joan Blasco i la de Ramonet Tafalla *Pixirixi*, que inicia amb una cobla de provocació:

> Este que ha cantat se pensa,
> que és un Mariano Manta,

> i'l pobret no se hu conéix
> que's pitxó que una çigala.
> > (Moreira 1934: 424)

I la cosa es va calfant fins que passen a les bastonades després de la darrera cobla:

> Ara va la despedida,
> jo me'n vaig al carreró,
> allí espero a n'este càque.
> ¡Que vingue si tí... dallòs!!
> > (Ibídem: 425)

La sang, però, no sembla que arribara al riu: les dos colles de músics acabaren junts a la taverna de Foleo, amb tots dos cantadors bevent del mateix got.

Juntament amb Mariano Manta, l'altre enversador seminal és Pio Cabet, del qual només sabem que el seu nom real era Pío Roig Subirats, que regentava una taverna al carrer del Carme de Tortosa i que va morir el 1916 *(Diario de Tortosa,* 19/6/16). De Manta i Cabet va escriure Moreira (1934: 421): «improvisadôs formidables, en bastanta xispa, sempre en lo consonant o assonant a punt, per a complàure a qui'ls demanava una cançó, així anés dedicada a la dolça garrofina, o a les blanques dents de la cucafera. Ells rài...».

La seua herència la rebria la primera generació de cantadors ben documentada, formada per Josep Fort *Poleso* (Tivissa, 1869-1960), Agustí Doménech *Perot* (Sant Carles de la Ràpita 1879-1956), Francisco Llusiá *Carrinya* (Amposta, 1886-1971), Gabriel Obiol *Gabriel lo cantador* (Amposta, 1887-1984), Juan José Blanch *Caragol* (l'Ampolla, 1890-1964), Francisco Balagué *Boca de bou* (Sant Jaume d'Enveja, 1895- 1973) i altres noms menys coneguts com Cisquet Mangrané, Caparreta, Cancio, Canene, lo Blanco, Joan Castelló *Tafalla,* etc.

L'anomenada d'algun d'ells quedà reflectida en el cançoner:

> A la Ràpita, Perot;
> a Amposta, Quinyo i Carrinya;
> a Freginals, lo Cotorro,
> i a Masdenverge, Missina
> > (Bayerri 1936-1979: III, 552)

Encapçalaven aquesta generació Perot i Carrinya, com es pot deduir de la informació que Jaume Blanc, el Xato, dolçainer nascut a Tortosa i resident a Aldover, els proporcionà a Joan Amades i Joan Tomàs, el maig del 1927, sobre l'anomenada d'alguns enversadors de la rodalia (Amades 1998: 116).

> Ens va parlar també d'uns famosos versadors, homes que tenen gran facilitat per a fer versos improvisats. Són cantadors de cobles que al moment improvisen una cobla o corranda al·lusiva a la qual la dirigeixen. L'un és de d'Amposta i se'l coneix pel Carrinya; l'altre és de Sant Carles de la Ràpita i li diuen Peret [sic]. En ocasions de festes grosses, els fadrins els lloguen perquè els acompanyin a ronda i el versador canta un cobla o corranda improvisada dedicada a alguna persona de les presents, especialment a les fadrines, i els rondadors acompanyen el cant amb el so de diversos instruments de corda, com sol fer-se per l'Aragó. Un d'aquests versadors, per cantar una nit en una ronda, cobra cinquanta o seixanta pessetes, i el beure pagat, que no puja poc. A voltes canten i cobren directament de la persona a la qual dediquen la corranda; en aquest cas cobren un ral per cobla. Canten en castellà. Aquesta mena de trobadors populars és molt abundant per Aragó.

La insistència de l'insigne folklorista en la filiació aragonesa de la jota improvisada delata els prejudicis que animaren la recerca del cançoner català i explica la presència més aviat testimonial i incòmoda de la jota en les publicacions de l'època.

Un altre cantador ben carismàtic que compartí *picadillos* amb Perot i Carrinya va ser Boca de bou, el «sant déu de la jota» com l'anomenà lo Noro (Queralt 2011: 8). Boca de bou era un personatge molt singular dins d'aquest àmbit: constructor de barraques de professió, tenia fama de *bohemio,* escrivia llibres de poesia i, fins i tot, arribà a protagonitzar algun espectacle d'hipnosi (Ib.: 9). Com a enversador, el seu tret diferencial era el contingut sovint cultista de les seues improvisacions, molt condicionades per l'afecció que tenia a la lectura dels clàssics castellans. Recentment s'ha inaugurat a Sant Jaume d'Enveja, el seu poble, una biblioteca que porta el seu nom.

A la generació de Perot, Caragol, Carrinya i Boca de bou s'anaren afegint després Joan Valmanya *Joan de Güec* (Roquetes, 1904-1994), Francisco Roig *lo Noro* (Lligallo del Gànguil, 1905-2002), José Montserrat *el Casat* (Sant Carles de la Ràpita, 1905-1975), Josep Garcia *lo Canalero* (Roquetes, 1914-2004), Andreu Queralt *Codonyol* (Alcanar, 1925-1989), José Guarch, *Teixidor* (l'Aldea, 1931-

2011), Nicasio Rodríguez *Nicassio* (Lligallo del Gànguil, 1935-1996) i Juan Fumadó (Sant Jaume d'Enveja, 1938).

Ells van veure com, a poc a poc, les rondes anaven decaient, la jota s'anava convertint en un espectacle folklòric que bescanviava el carrer per l'escenari i, fins i tot, es qüestionaven des de la premsa local les seues pràctiques musicals:

> *Creemos que para cantar jotas, no es imprescindible recorrer a la improvisación de las coplas, porque suelen ser tonterías que no gustan a nadie, y que hacen saltar de indignación a los huesos respetuosos de Aben Jot* (La Voz del Bajo Ebro, 1958; citat a Guiu 2008: 40).

Sens dubte, lo Canalero és el cantador més conegut i influent d'aquesta nova fornada. Ell protagonitza la darrera embranzida del gènere quan, de la mà del grup liderat per Arturo Gaya, Quico el Cèlio, el Noi i el Mut de Ferreries, dóna a conéixer la jota improvisada fora del seu territori. Així mateix, lo Canalero és dels pocs cantadors que han deixat empremta discogràfica: quatre cintes de casset que ja convindria reeditar en format digital i amb els honors que en justícia li correspondrien.

Lo Canalero tenia una gràcia especial per construir un vers costumista i entranyable, amanit amb un pessic de crítica a la modernitat i a les condicions de vida de la pagesia. Valguen com a mostra aquestes cobles, interpretades a l'Estadi Municipal de Tortosa a finals de la dècada de 1940, on glosava el control fiscal al qual estava sotmès el pagès (Ollé 2005: 8):

> Enguany si tenim aulives,
> si puc ne vull renovar:
> l'aix i les rodes del carro
> i per al matxo un collar,
> i un fanal que no s'apague
> que no em puguen denunciar.

> Quan anem a buscar aulives
> i mos hem dixat la guia
> cada moto que trobem
> mos s'acursa un any la vida,
> que tots mos pensem que són
> Recursos i Fiscalia.

Francesc Balagué Bocadebou i Josep Garcia lo Canalero,
cantadors de jotes fent la ronda.

Amb lo Canalero, la jota improvisada adquireix una representativitat territo-rial definitiva personificada en la figura del cantador el qual, al seu torn, torna a veure's investit d'una certa autoritat moral pública. Li ho explicava Josep Guarch *lo Teixidor* (2005: 31) —l'altre darrer gran cantador— a Quim Vilarnau: a Del-tebre, en vespres d'eleccions, tots els candidats li demanaren que els tirara una maneta en forma de jota durant una actuació. L'enversador va saber sortir-se'n amb elegància:

Si saludo als de l'esquerra
els de la dreta què diran?
Si saludo a los del centro
los dos me criticaran
Los daré la despedida
i vostés perdonaran.

La gran importància de Canalero i Teixidor —al costat d'algun cantador més jove com José Subirats *Joseret* (Tortosa, 1950)— és que aconseguiren connectar amb les generacions més joves gràcies, en bona part, com ja hem dit, a la mediació de Quico el Cèlio, el Noi i el Mut de Ferreries.

El grup liderat per Arturo Gaya, Jordi Fusté i Quique Pedret ha jugat un paper cabdal en la recontextualització de la jota improvisada dins de les coordenades contemporànies. I ho ha fet amb una estratègia ben bé paradoxal: representant una colla anacrònica de músics que apel·la a l'imaginari col·lectiu tortosí i que escenifica les dificultats, els obstacles i les contradiccions que comporta la conciliació entre tradició i modernitat (Guiu 2008: 38). El secret del seu èxit rau al nostre entendre, a banda de la qualitat amb què serveixen el seu producte artístic, en dos factors complementaris: la catarsi d'autoafirmació que suposa fer humor amb els estereotips tortosins més estigmatitzats i l'estima que manifesten pel paisatge, la llengua, la cultura i les gents de les Terres de l'Ebre. Ells han estat la punta de llança d'allò que podíem anomenar «tortosinisme invertit»: una reivindicació identitària que, en comptes d'esperonar el segregacionisme, esdevé completament integradora.

La seua incidència social ha estat enorme i s'ha vist molt reforçada amb la seua participació en les mobilitzacions contra el Pla Hidrològic Nacional que, com certerament exposava Claire Guiu (2008: 39), activen les dinàmiques identitàries regionals: des d'elements festius —com la cucafera— a les variants dialectals —«lo riu és vida»—, passant òbviament per la jota. La popular tornada «De Roquetes vinc...» és converteix en un dels himnes indispensables en qualsevol manifestació, i les jotes al·lusives a la resistència al transvasament en poderosíssims instruments d'agitació col·lectiva. En aquest context, la jota cantada improvisada de les Terres de l'Ebre surt a la llum de la catalanitat i genera adhesions unànimes.

Tanmateix, malgrat la formidable repopularització del gènere, el nombre de cantadors en actiu decau fins a límits pràcticament insostenibles. Des del traspàs de lo Canalero i Teixidor, els improvisadors de jota es poden comptar amb els dits d'una mà: al ja esmentat Joseret, es pot afegir Marc Guarch *Guardet lo Cantador* (Amposta), lo Xicuelo (Sant Carles de la Ràpita) o Sofia Morales, una de les poques dones enversadores.

La minva de cantadors contrasta amb la proliferació d'iniciatives d'investigació i difusió al voltant de la jota en totes les seues manifestacions: la recentment inaugurada Casa de la Jota a Tortosa, impulsada per Quico el Cèlio i companyia —amb una exposició itinerant que ja recorre el país—; l'imprescindible treball de sistematització que duen a terme els Amics i Amigues de l'Ebre; els tallers de jota que es multipliquen per tot el territori; la tasca d'escoles com Lo Planter; projectes com el que porta endavant Espai de so sota la direcció de Sergi Massip; l'activitat instigadora d'experiències tan reeixides com Els dimarts al Llar (Amposta), etc. Tant de bo tot aquest esforç es traduesca ben aviat en un esclat de cantadors i cantadores que li donen un nou impuls a un gènere que s'ha demostrat ben útil fora de la seua zona de confort tradicional.

Corrandes de caramelles (Catalunya)

Les corrandes de caramelles —o camarelles, camilleres, camalleres i altres variants, a més de cant dels goigs, goigs dels Ous, etc.— formen part dels rituals de Pasqua que se celebren al Principat de Catalunya. Es canten durant la ronda que es realitza per les cases i masies del poble durant el dissabte de Glòria encara que, en alguns casos, atesa l'extensió del recorregut que calia fer, començaven en divendres sant i arribaven a perllongar-se fins el dilluns de Pasqua. Joan Amades (1939, I: 311-349; 1951, II: 843-901) en dóna una explicació ben detallada de la diversitat i complexitat d'aquest ritual.

Històricament, la colla de caramellaires estava constituïda per un grup de joves, un músic llogat —flabiolaire, graller, acordionista, violinista, clarinetista...— i un cantador de corrandes especialitzat i també llogat en la majoria dels casos.

Així ho explicava Jordi Sanglas (1982: 5) per al cas de Tavertet: «El que no podia fallar era un bon corrandista; i era el que més vegades fallava. No sempre se'n trobava un de bo per llogar i, si es trobava, com que eren prou cercats, s'ho feien pagar mot bé, i no sempre el pressupost hi arribava, i llavors s'havia de solucionar així com es podia. I a fe que el corrandista era l'ànima de les caramelles. Quan es parlava que es farien caramelles, ja tothom deia: a veure quin músic tindran, a veure quin corrandista hi tindran».

Jacint Verdaguer (1932) atribuïa la presència del corrandista a una influència forana:

> Després de tirar eixes floretes dels goigs; a la Verge Maria, el corrandista (i aquí ve la part moderna, i no sé si diga profana, de la festa) ne tira unes quantes, més o menos poètiques, en corrandes que no han deixat de fer-lo rumiar, a l'amo i a la mestressa, i sobre tot a les minyones o a la pubilla si n'hi ha, als peus de la qual, rustics trobadors, no trenquen l'arpa perquè no 'n tenen, sinó que en frase característica, que no hi sol faltar, buiden els butxacons.

Aquest afegit, que creiem d'origen foraster, no entra en les caramelles dels voltants de la montanya del Mont, ont escric aquestes ratlles, tal vegada per estar més allunyada de l'influencia castellana.

El cant de les caramelles era una ronda de capta i es rondava a totes les cases, exceptuant les que estaven de dol. En arribar a la casa, els joves cantaven els goigs de la Mare de Déu i, en acabar, el corrandista improvisava corrandes d'alabança a tots els ocupants de la casa, amos i criats.

> L'amo d'aquesta casa,
> n'és un home enraonat:
> no es fa res a la parròquia
> que ell no hi siga convidat
> (Amades 1951 [1982]: 141)

La corranda s'estructura sobre la forma més senzilla de la cobla popular: una quarteta heptasíl·laba amb rima, assonant o consonant, dels versos parells.

Òbviament, moltes de les corrandes —també dites follies o cantarelles—, eren reciclades d'estereotips ja ben fixats com evidencia aquesta cobla recollida a Sabadell (Cardona 1922: 4):

> El cantar de les cançons
> solen dir que té diades
> si l'un dia en canto prou
> l'altre em són ben oblidades.

Altres, però, s'improvisaven completament. Els acompanyants podien repetir alguna part de la melodia o contestar la corranda amb una tornada molt sovint de caràcter petitori:

> Oidà, oidà
> ompliu-nos la cistella,
> oidà, oidà
> per poguer fer un brenar.
> (GRFO 1994: 74)

La mestressa de la casa corresponia els elogis amb algun present —ous, tall de cansalada, botifarra, diners— que anava a parar a la cistella ben guarnida que carrejava el jovent. Si la mestressa es distreia i tardava en portar la compensació en espècies o no hi exhibia la generositat esperada, el corrandista canviava el to del seu verb i llançava improperis més o menys explícits a la casa, com aquests recollits a Rajadell (Bages):

> Mala casa, mala brasa
> mal tió que Déu ens dó!
> Tant a l'amo com la mestressa
> Així tinguéssiu un socarró!
> (Vilar i Crivillé 2011: 191)

O aquests altres recollits a les Viles Xiques de Montgrony (Ripollés), molt populars arreu de la Catalunya Vella:

> A la gent d'aquesta casa
> no els hi desitgem cap mal;
> Deu els do pigota i ronya
> corrença i mal de queixal
> (Maideu 1949: 57)

O encara aquests altres reportats per mossén Alcover (1915: 246) i recollits a Mallorca, on tenia lloc un ritual semblant amb un glosador llogat:

> A l'amo d'aquesta casa
> Déu no n'hi do sanitat
> ses sales plenes de rates
> i ets urons d'escarabats.

El musicòleg ripollés Josep Maideu, en el treball que presentà a un concurs del CSIC el 1949 amb el títol «Cancionero Popular Español / Lema: / 'Gotxaires' y 'Caramellaires'», distingia cinc parts en el ritual de les caramelles: primerament, la descoberta, «*una tocata que se hace al divisar la casa y es como un aviso de la proximidad de los 'camillaires'. En la obscuridad de la noche, con su grandioso silencio, es de un efecto sorprendente*»; en segon lloc, la salutació o arribada —*al llegar delante de la puerta de la casa, llaman diciendo: "Ave Maria, voleu camilleres?"*»...— consistent en unes cobles de presentació i la interpretació dels goigs de la Mare de Déu; després era el moment de les corrandes, el nombre de les quals dependrà de la «importància» de la casa —en les petites se'n cantaven vuit o deu i en les grans, entre vint i trenta—; les canta el corrandista i, a continuació, tot el grup les repeteix i el músic prossegueix amb un intermedi musical que glosa la mateixa melodia; més tard s'esqueia la beguda, refrigeri amb què la casa obsequia el grup; i, finalment, la ballada, on el grup de joves balla amb les dones de la casa, especialment amb les joves fadrines. El diumenge següent —el de Pasqüetes— se celebrava el xerbascat, l'àpat i ballada en què es donava bon compte de tot el recollit.

Podia donar-se el cas que coincidiren dos colles i es produís un enfrontament entre els improvisadors. El mateix Maideu narra un «match entre dos corrandistes» quan es troben Pep de Sovelles i En Parera (1949: 52-54):

> *los dos corrandistas tuvieron la ocurrencia de desafiarse en improvisar corrandas, contestándose mútuamente sin tiempo ni espacio para pensarlas.*
> *[...] Empieza En Pep de Sovelles con la siguiente corranda:*
> Jo en som un corrandista
> i ara us ho vui explicar
> que ara aquí amb l'hereu Parera
> ens volem desafiar.
> *[...] Así continuaron durante más de media hora, con asuntos muy variados, perdiendo la apuesta En Parera porque se paró varias veces pensando como podría terminar su improvisada corranda.*

L'antiguitat del ritual la certifica Joan Amades (1951, II: 860) qui transcriu un document que ens permet documentar les caramelles ja en el segle XVI Es tracta d'un procés del 1594 en què es van veure implicats uns joves de la vegueria de Manresa per cantar caramelles fora de temps. Un dels testimonis cridats a declarar explica com aquests joves «foren anats per les cases de la parròquia de Sant Pedor i de Salellas cantant, i los dits Prat i Garrigosa sonaven l'hu amb flauta i tamborí i d'altre amb cornamusa demanant caramelles i aplegant ous i lo que'ls volien donar».

El ritual té connexions evidents amb la tradició de la salpassa al País Valencià i la festa de ses panades o de ses sales de Mallorca (vegeu Noguera 1893 (2005) i Duran 2009).

A partir de darreries del segle XIX la tradició del cant de caramelles sofreix un procés progressiu de folklorització, especialment en contextos urbans on es adoptat per les societats corals, es bescanvien les formes musicals per alguns gèneres de moda —valsos i sardanes, per exemple— i es desproveeix de la figura del corrandista (Ayats 2008: 59-71).

Malgrat això, a pagès segueixen cantant-se a alguns indrets seguint el model tradicional, per bé que resten molts pocs corrandistes en actiu. De fet, l'anomenada dels corrandistes més coneguts s'ha dissolt en el temps i hom amb prou feines en recorda algun com Josep Simon *Pep de Sovelles* que fou l'informant de Josep Maideu (1949: 11) —el qual el presentava com a «cèlebre corrandista»— i *En Parera,* coetani d'aquell. El Grup de Recerca Folklòrica d'Osona en documentava uns quants de la comarca d'Osona en el seu treball sobre el folklore de Rupit-Pruit (1983): Josep M. Vila *el Correu* —també dit en Durruti— de Pruit, Pere Moles, de l'Esquirol; Miquel de Can Barrera i Francesc Banús. En l'actualitat el més conegut és, sense cap mena de dubte, Josep Casadevall *Carolino* qui improvisa corrandes durant el cant de caramelles, però també en altres ocasions com casaments, festes familiars o en les festes Verdaguer on glosa satíricament l'actualitat del poble de Folgueroles. La seua dedicació a la improvisació poètica té l'origen en la recuperació del cant de caramelles per banda de la Joventut Verdaguer, a la qual pertanyia. Això ocorria a les acaballes de la dècada de 1960 i les varen aprendre del conegut flabiolaire del poble Josep Verdaguer *Roviretes*, qui després va acompanyar Carolino molts anys.

La popularitat de Carolino traspassa les fronteres del seu àmbit d'acció quan, de la mà de Ramon Manent i de Francesc Tomàs *Panxito*, intervé en alguns dels festivals folk que comencen a celebrar-se en diferents punts de la geografia catalana: el Tradicionàrius de Barcelona, la Trobada de Cantadors de Sobremunt que tenia lloc en el marc del cicle Solc al Lluçanès, les mostres d'improvisadors que s'organitzen a Mallorca i a Menorca, etc. Carolino improvisa amb una gran naturalitat i sentit de l'humor encara que ell li treu ferro a aquesta destresa: «No faig poesies per sortir a les enciclopèdies; només són frases que de seguida perden vigència. Tan sols cal buscar el rodolí de la quarteta» (de Sineu 2004: 46).

Com molts altres gèneres de cançó improvisada, les corrandes s'han reciclat fora del seu context tradicional i, per la seua senzillesa, són un dels recursos musicals més utilitzats en la introducció de la improvisació poètica a l'escola. També molts grups i cantants de folk català les han incorporades als seus repertoris on ha tingut especial incidència el model de corrandes recollit a Beget, durant la dècada de 1970, per Jaume Arnella, Amadeu Rosell i la colla agombolada al voltant d'El Sac de Cançons (Arnella 2001):

Dos pardals en una espiga
no s'hi poden sostenir,
dos fadrins amb una nina
no s'hi poden avenir.

Si l'espiga és prou valenta
els pardals s'hi sostindran,
si la nina és carinyosa
els fadrins s'hi avindran.

L'any 2008, el grup Manel tancava el seu primer disc, l'exitós *Els millors professors europeus*, amb les «Corrandes de la parella estable» que portaren el fenomen de la cançó improvisada per tots els escenaris del país, com explicàvem adés. Es tractava d'unes corrandes amb peu forçat perquè els dos darrers versos de cada estrofa havien de ser necessàriament «ens ha costat Déu i ajuda / arribar fins aquí», fet que obligava a condensar tot el contingut improvisat en gairebé una frase:

Jo la miro i m'espanto
no fós que es canses de mi,
ens ha costat deu i ajuda
arribar fins aquí.

No deixa de ser curiós i simptomàtic que la iniciació de molts joves catalans en la cançó improvisada vinguera de la mà d'un grup de pop urbà, aparentment molt allunyat dels rogles on aquesta estava prenent embranzida. Res, però, que no haja passat abans: a la cultura popular li agraden molt les paradoxes i sempre ha fet camí per canals insospitats.

Nyacres i patacades (Empordà)

Del conjunt de balls cantats que, arreu de Catalunya, podíem trobar en un context utilitzat pels joves per a marcar el seu territori dins del ritual festiu de la comunitat —la Bolangera, els Tirabous, les farandoles, les tiranes, el Peu Polidó, l'Espingueri, etc. (*vid*. Ayats-Orriols-Palomar 2006: 39-40)—, només les patacades de Cadaqués han arribat fins a nosaltres inserides en el marc que els era propi: els actes de celebració de la festa de sant Sebastià que tenen lloc en els voltants de l'ermita del sant.

Aquests balls solien executar-se en diverses ocasions festives i eren força habituals en Carnestoltes, fet que explica el contingut satíric, llicenciós o transgressor dels textos que s'interpretaven els quals, molt sovint, podien ser improvisats —és ben eloqüent, en aquest sentit, que s'utilitze la paraula corranda per a designar una forma de cançó improvisada.

Les patacades de Cadaqués es ballen en rotgle i s'interpreten sense acompanyament instrumental. Un solista —en l'actualitat, Dionís Baró— porta la veu cantant, però qualsevol dels participants pot intervenir-hi espontàniament. En un procés metonímic molt freqüent en la cultura popular, el nom del ball —la patacada— ha acabat donant nom a les cobles que s'hi canten —patacades—: quartetes heptasil·làbiques amb rima única dels versos parells. La formulació d'aquestes patacades està bastant restringida al repertori de textos que els participants guarden en la memòria, que poden reproduir-se fidelment, refer-se parcialment tot adaptant-los a les circumstàncies, preparar-se prèviament o, ara de forma molt ocasional, improvisar-se. Es poden cantar amb diverses tonades, però n'hi ha una de clarament predominant.

L'estructura del ball i la cantada és més o menys la següent. El cantador es troba dempeus al mig de diversos cercles concèntrics fets pels participants agafats de la mà. Primer interpreta els dos primers versos de la quarteta que després repeteixen tots brandant els braços però sense bellugar-se del lloc, i el mateix ocorre amb els dos darrers. A continuació, tots canten el refrany que també es repeteix:

Ara va de bo senyor *rector*.

Mentre ho fan, el cercle gira en un sentit o primer en un sentit i després en el contrari i es torna a detenir per escoltar la quarteta següent. L'alternança de quartetes i tornada s'interromp puntualment per cantar una segona tornada:

> Ella en punteja, punteja,
> ella en punteja amb peu pla,
> porta sivilles de plata,
> xim pum! Porta sivilles de plom.

> Qui la ballarà més bé
> jo i el pare jo i el pare,
> qui la ballarà més bé
> jo i el pare i en Peret.

> Si en Peret no vol ballar,
> garrotada, garrotada,
> si en Peret no vol ballar,
> garrotada n'hi haurà.

Aquí les evolucions dels participants són una mica més complexes, amb diversos puntejos, desplaçaments i giravolts fins que, en els darrers versos, l'estructura en rotgle es desfà i tothom es pica lleument a l'esquena —això seria la patacada pròpiament dita— i es torna a agafar de la mà per reprendre el cicle.

Com hem dit, hi ha altres tonades amb altres refranys que poden propiciar estructures de ball una mica diferents. Enmig del ball es sol intercalar alguna cançó només cantada —en l'actualitat sembla que la més habitual és «El vi surt de la vinya».

Les patacades solen tenir un contingut eròtic, per bé que també n'hi ha de celebració identitària o de crítica local:

> A Banyuls piquen la pebre
> i a Llançà piquen la sal.
> L'alegria de ses dones
> És a sota es devantal.

> El rector de Vallfogona
> diuen qu'és un porquetàs,

el van trobar a la sacristia
que palpava Sant Tomàs
(Falcó 2011: 105, 109)

Alcalde i regidora
una foto els hi faria
els posaria un bon marc
i després els penjaria.
(Carrera 2010)

Anaís Falcó ha estudiat amb molta profunditat (2011, 2014) el ritual que emmarca les patacades i la seua funcionalitat actual: un moment dedicat a la restauració periòdica del col·lectiu que, en certa manera, compensa la pèrdua de cohesió local que comporta la massificació turística de l'estiu. «En un moment en què a Catalunya, molt pobles fan de la seva Festa un aparador local, Cadaqués, a través de les festes d'hivern, amb Sant Sebastià i Carnaval principalment, busca tot el contrari» (Falcó 2011: 89). Per això, la presència de visitants, la «turistització» de la festa, ni que siga de baixa intensitat, produeix una certa incomoditat, com explicàvem unes pàgines més amunt.

El ball de la patacada ha anat desapareixent i recuperant-se al llarg del segle xx. Quan el 1936 Francesc Pujol i Joan Amades publiquen el seu *Diccionari de la Dansa...*, primer volum del Cançoner Popular de Catalunya, feia anys que no es ballava:

> Els balladors es reunien en rodona i no paraven de voltar mentre continuament brandejaven les mans a un cantó i altre, sense mai desagafar-se, al so d'una cançó d'aire alegre i de text sovint desvergonyit que entonava una dona o noieta anomenada *capatassa*. Hi havia una evolució o moviment, que en deien *sota* perquè així començava la cantarella al so de la qual el feien, que consistia en agrupar-se tots els balladors formant estreta pinya, bellugant-se i sotraguejant-se tant com més millor els uns contra els altres, cosa que produïa una escena bon xic lliure i que possiblement motivà que el ball fos batejat amb el nom de *patacada*. (Amades–Pujol 1936: 369).

L'estructura del ball que expliquen Pujol i Amades té bastants concomitàncies amb el que suara descrivíem, però també alguna diferència molt significativa com el paper protagonista de la dona jove que interpreta les quartetes i anomenen capatassa. Aquesta figura apareix també en un llarg poema escrit per Víctor Rahola, metge i escriptor cadaquesenc, i publicat l'any 1930 (*apud* Falcó 2011: 95-96), que descriu el ritual d'una manera semblant, tot disculpant el contingut impúdic de les cançons:

> Ballem-la tots la nostra patacada,
> Com en la sardana donem-nos les mans;
> La nena xamosa que ens don la tonada
> És la menadora dels passos i els cants.
> [...]
> Torna la cantaire a dar la tonada
> I tots la segueixen els braços brandant,
> S'aviva de nou i pren revolada,
> La dansa s'arbora i s'abranda'l cant.
> –«Apretau, Micolau,
> amunt avall i enrera
> Apretau, Micolau,
> Amunt i avall, si us plau.»–
> És la patacada la dansa sagrada
> Que varen llegar-nos els avantpassats,
> I encara que a voltes vesteix disfressada
> Amb vel d'impudícia i cants manllevats,
> No ha deixat estela jamai endolada,
> Ni rastre d'enuigs ni d'odis covats,
> Ni ha llençat cap blasme ni cap esquitzada,
> Ni ha obert la caixeta de les malvestats.
> [...]
> La portaveu que l'ha cantada
> Més que una nena és una flor,
> Si n'ha dit cosa virolada
> L'esma li ha fet d'apuntador:
> No té sa boca poncellada
> Ni una petjada de petó.

No hi ha, però, suficient documentació exhumada encara per interpretar aquest paper femení dins del ritual cadequesenc, ni la seua evolució posterior cap a la fesomia que ara coneixem. Tot i això, no es pot deixar de connectar amb altres balls de representació eròtica que tenien lloc durant el Carnestoltes, com el «Peu polidó» —cançó, per cert, que segons Pujol i Amades formava part del ball de la patacada.

A més de les patacades de Cadaqués, a l'Empordà hi ha notícia d'altres balls cantants amb textos improvisats com les corrandes de Palamós, les farandoles, les tiranes o les nyacres.

El ball de nyacres es ballava a Castelló d'Empúries per Carnestoltes: «dues parelles en quadre dansen puntejant i creuant-se diagonalment. Té una gran importància el cantador que improvisi nyacres (corrandes) al·lusives. Moltes de les que transcrivim són pensades pel cantaire mateix». Domènec Mallol, de Figueres, en va cantar unes quantes per Joan Tomàs i Lluís Millet l'estiu del 1927 (2010: 74):

> I aquest carrer empedrat
> malhaja l'empedrador
> que les pedres me coneixen
> i les amoretes no.
>
> Serenu, apaga la luz
> que el quendil està ensendido.
> y el guelán que va de noche
> no quiere ser cunasido.

Joan Amades (1951, II: 167) explica que era un ball que ballava la gent vella de Sant Pere Pescador i de Castelló d'Empúries a la platja al so de la guitarra: «Solien fer-lo al voltant d'una barca de les posades al secador. Escollien la més gran i garrida i semblava com si li dediquessin llur dansa. S'acompanyaven al so de castanyoles fetes amb nyacres i closques de petxina, i d'aquesta circumstància va prendre nom el ball. Foradaven les petxines per l'encuny i les aparellaven passant-hi un braçolí. Aquest ball, que s'havia practicat fins fa una vintena d'anys, era tot especial i ben diferent de la resta de balls comuns i populars».

El folklorista barceloní, però, no para cap atenció a la naturalesa improvisada de les corrandes que s'hi interpretaven.

El ball de nyacres es folkloritzà per formar part del repertori de diversos esbarts empordanesos i les cobles improvisades se n'han emancipat i han esdevingut, durant els darrers anys, un dels gèneres estrella en la revitalització de la cançó improvisada, sobretot a partir de la promoció que en féu el grup De Calaix —que en va incloure dos talls al seu primer disc *Pantone 1505* (2003)— i del seu paper protagonista a la Trobada de Cantadors d'Espolla, on cada any es proclama un nou Rei de les Nyacres.

L'estructura de la nyacra s'adapta molt bé als nous codis funcionals de la cançó improvisada: té una melodia molt senzilla sense cap exigència vocal i una part d'interpretació col·lectiva que la fa especialment adequada per a les formes actuals d'improvisació participativa.

Es tracta novament d'una quarteta heptasil·làbica amb rima obligada dels versos parells, de la qual es repeteix el tercer vers —estratègia expressiva que allarga la tensió que resoldrà el vers final— i que s'alterna amb una tornada taral·lejada sense text.

La seua música, com molt bé ha assenyalat Albert Casals (2012: 114-116), s'adapta perfectament a la funció comunicativa que vol desenvolupar: el tercer vers, que marca el moment de suspensió en què es posposa breument el de-senllaç de la cobla, acaba sobre l'acord de subdominant, amb la qual cosa text i música uneixen esforços en la seua demanda de resolució, fet que augmenta l'expectativa del públic i, amb ella, l'eficàcia comunicativa de la cançó.

Una eficàcia comunicativa que, juntament a la facilitat d'interpretació que comentàvem i a la seua condició de gènere que ja no es practica en el seu marc tradicional —i on, per tant, no hi ha possibilitat de fricció amb els seus usuaris naturals—, explica la seua renovada i sorprenent popularitat.

Garrotín (Lleida)

Els orígens del garrotín es perden en les boirines habituals de la genealogia flamenca a la qual li ve com anell al dit la coneguda cita de l'historiador francés Robert Muchembled: «atés que la cultura popular es transmet oralment i no deixa empremtes escrites, cal demanar-li a la repressió que ens conte la història d'allò que reprimeix». Una cita que multiplica la seua veritat si parlem de la cultura popular del poble gitano.

Certament, resulta impossible esbrinar si el garrotín, com s'ha escrit sense l'oportuna acreditació documental, té els seus ancestres en alguna dansa al·legòrica de caire guerrer, procedeix d'Astúries o està llunyanament emparentat amb la farruca.

L'únic fet fàcilment constatable és que, quan a principis de segle XX, el ball del garrotín esdevé una moda omnipresent a teatres, cafés i festes urbanes de qualsevol mena, amb diverses balladores —Pastora Imperio, la Tanguerita, la Gitana Dora— disputant-se'n el regnat, ja s'alcen les primeres veus reclamant la filiació lleidatana del gènere. Així ho llegim, per exemple, a les pàgines de *La Esquella de la Torratxa* l'any 1910 (9-10):

> Jo no sé pas l'ànima de quin poble representa la dansa del *garrotín*, ni quin sentiment s'ha volgut traduir ab ella. La bona gent surt dels nostres teatres ínfims convensuda de que allò no pot tenir un origen territorial, y que es un de tants balls que'l capritxo lubric d'un mestre de dansa o d'una balladora pot haver engendrat.
>
> [...] No, no cap ball com aquet del *garrotín* dona una tan forta visió de luxuria epilèptica. Però no és ab teatralitat que se'l té de veure, en l'artifici de l'escena y del music-hall, sinó entre'ls seus sacerdots, ballat per gitanos, tocat per les velles guitarres flamenques que no saben tocar altra cosa...
>
> [...] Jo he trepitjat totes les terres hispàniques y en cap d'elles m'he trobat ab el *garrotín* com ball nacional, per dirho així, com aquí a Lleida. El ballen cada nit els gitanos del Pla, el saben les senyoretes, el toquen tots els

pianos y fins el munisipi organisa, pera Carnestoltes, concursos de *garrotín*. Però no és el *garrotín* de la Dora, ni els que tots vosaltres coneixeu. És un *garrotín* litúrgic, una dansa oriental ballada per un possès, un bellugar frenètic de tota la carn com si sofrís cent espasmes...

[...] El tocador canta l'obscenitat mes hiperbòlica que he sentit, dedicada al rector de la parroquia de Sant Joan...

[...] Allò es el *garrotín* clàssic, el de Lleida, el de tota la gitaneria famosa d'aquestes terres.

L'existència d'una branca catalana del folklore gitano que acabaria donant forma al flamenc pot induir-se d'una carta escrita per Prosper Merimée l'any 1846 (1988: 187-188):

> *Pero no estoy en España y seguramente a mil leguas de Andalucía, aunque haya en esta tierra gitanos y guitarras [...]. Ayer vinieron a invitarme a una tertulia con motivo del alumbramiento de una gitana... había tres guitarras, y cantamos en caló y en catalán. La reunión la componían cinco gitanas, una de ellas bastante guapa, y otros tantos hombres de la misma raza; los demás eran catalanes, ladrones —supongo— o chalanes, que viene a ser lo mismo. Nadie hablaba en español y apenas entendían el que yo hablaba. Intercambiamos algunas ideas en caló que agradaban mucho a la honorable compañía. «És dels nostres», decían.*

Aquesta branca catalana del flamenc podria quedar ratificada pels anomenats manuscrits de l'Oncle Àngel, localitzats per Manel Ponsa l'any 2003. Es tracta d'una sèrie de fulls que recullen diversos textos de cançons flamenques escrits per Àngel Hernàndez Pubill, en català, amb una ortografia fonètica. En aquells manuscrits, accessibles en línia (www.bossarecords.com), l'Oncle Àngel, patriarca gitano de Lleida, escrivia:

> Garrotins del ogkle Kanone, Kap de Ferro i Faraon. Per mi ban se els grans protagonistes de la germano entre gitanos i paios rrepublikans fills de les komarkes de Lleide i entrembells lo nostre amik politik Masia fill de Borges Blankes que estimave mol als gitanos katalans...
>
> [...] La nostra musike ere tan gran ke iual te feien espatarrat de riure kom te feie plora, sobretot la kanso de la botellete i els garrotins de la mort. El ke millo ballave akestos garrotins eren el Menino, germa del Pele, el Faraon, germa del Mestre Tonet i la tie Beke.

La transcendència dels manuscrits és molt gran perquè documenta un repertori ben bé desconegut i posa nom als gitanos i paios que el protagonitzaren. El contingut dels garrotins que atribueix al Negre del Pligando, el Perillete, Faraon, Cap de Ferro —Jaume Jiménez, cèlebre guitarrista— i Canona, són majoritàriament d'autoafirmació i de celebració de la pròpia idiosincràsia i la pròpia forma d'entendre la vida:

> Rrepublikans i gitanos
> rrepublikans i gitanos,
> ens jalarem un balicho
> a la kase dels Parranos.

> El Pacheko i la Nenete,
> el Kalsone i el Terrines
> Ban ana a la estaribel
> pe un atrak de sardies.

Quartetes heptasil·làbiques, cantades o semirecitades sobre quatre frases musicals i contestades amb una tornada que, inicialment, sembla que era

> Al garrotín, al garrotán
> a la vera, vera, vera.
> vera van.

fins que es va popularitzar la tornada amb al·lusions a l'església de sant Joan:

> Al garrotín, al garrotán
> a la vera, vera, vera.
> de sant Joan.

Els garrotins antics tenien un aire més lent i parsimoniós, mentre que l'actual ha passat definitivament pel tamís de la rumba.

Es cantava i es ballava en reunions festives, celebracions de Carnestoltes, casaments, saraus i *juergues* de tota classe i condició.

La seua gènesi pot situar-se en un moment indeterminat del segle xix. La memòria popular lleidatana conserva la seua teoria particular, tal i com li explicava Joan Rodés *el Marqués de Pota* a Jordi Curcó (2005: 25):

Arxiu Caramella

GÈNERES DE LA CANÇÓ IMPROVISADA A LA MEDITERRÀNIA

Tres veus imprescindibles del darrer garrotín lleidatà:
Carles A. Juste lo Beethoven, *Enric Pubill* lo Parrano
i Joan Rodés el Marqués de Pota.

No tinc cap certificat de naixement, però jo juraria que sí, que va néixer a Lleida i almenys així sempre s'ha dit. El vell Parrano quan jo tenia 16 anys va explicar-me un dia que el garrotín havia sorgit espontàniament una nit de farra, ara li diuen marxa, en una taverna del barri antic de Lleida prop de l'església de Sant Llorenç. Entre vinet i vinet anaven cantant i ballant i quan ja eren les cinc de la matinada van anar a retiro. Al sortir de la taverna és van ensopegar amb el Rosari de l'Aurora que els venia de cara i com a fons el «tinc, tanc» de la campana de l'església de Sant Llorenç... Deuria ser tot un numeret, però ells se les van empescar per reconvertir aquella situació tan estrambòtica amb un ritme singular que s'anomenaria el garrotín... potser per la campana de Sant Llorenç que feia tinc, tanc... garrotín, garrotan... les cinc de la matinada, quines garrotades que nos fotran quan arribem a casa.

Nascut a Lleida o arribat amb algunes de les famílies gitanes que s'hi instal-laren, el cert és que la ciutat l'ha fet seu i l'ha imbuït amb un imaginari molt singular, configurat durant el primer terç del segle xx: el de la Lleida carrinclo-na. Carrincló vol dir boig en la llengua dels gitanos de Lleida: boig en un sentit còmplice i positiu, disbauxat, una mica poca-solta, una mica murri.

Durant els anys anteriors a la contesa de 1936, la ciutat es converteix en un nucli actiu amb diverses ofertes d'oci on arriben immigrants de naturalesa diversa: hi ha els procedents dels fluxos naturals en aquell temps del camp i la muntanya a la ciutat i hi ha els qui compareixen atrets per les grans obres d'aprofitament hidràulic i del ferrocarril (Tort-López 2004: 72). Ens ho expli-cava Carles A. Juste *Beethoven* fa uns anys en una entrevista (Frechina 2007: 54):

> Aquí hi havia l'empresa La Canadiense que havia fet totes les preses del Pirineu, el pantà de Camarasa, etc. Hi havia molts treballadors que es trobaven els caps de setmana i els dies de festa. Hi havia cabarets, hi havia dones que fumen —que deien aquí—, hi havia molta gent amb ganes de gastar calers. Però això era tot abans de guerra.

Els carrinclons troben el seu hàbitat natural en aquesta Lleida de nits llar-gues, la Lleida vividora i una mica canalla que propiciava les lifares; la Lleida dels Parrano i els Salazar, de lo Calsoné i el Cap de Ferro, del mestre Tonet i Paquito Abolafio, del Ton del Llufa i el Tocineta, de Barretina i lo Marqués de Pota; la Lleida mestissa on paios i gitanos, al barri del Canyeret i al Pla de l'Aigua, feien del garrotín la seua sintonia musical —per utilitzar l'afortunada definició de Pep Tort i Matías López (2004).

> El Corone farà de jutge
> El Parrano de concejal
> El Faliti per alcalde
> I el Bulló jutge de pau
> I el Perillete per ser més pinxo
> Lo farem municipal.
> (La Violeta, *Rumbes velles i noves de Lleida*, 1998)

Sense aquest ambient carrincló, amb un patriotisme local fortament accen-tuat i un tarannà especialment sentimental, no es podrien entendre les trajectò-ries musicals d'Enric Pubill *lo Parrano* (1913-1987), i Joan Rodés, *lo Marqués de*

Pota (1933-2012). Tots dos comparteixen el seu origen mestís, mig paio mig gitano, la seua carrera artística gestada en cabarets, locals de la costa, espectacles de varietats i *juergues de senyoritos*. I tots dos ostentaren la corona de reis del garrotín.

Abans que ells el cantaren Manel Pubill *el vell Parrano*, l'oncle Faraon o Joanet Terrines, tots al·ludits a les estrofes de garrotín conservades en els manuscrits de l'oncle Àngel.

Quan lo Parrano i lo Marqués de Pota, s'incorporen a aquest món, el franquisme ha expulsat del carrer el garrotín i el seu imaginari, els bombardejos han assolat el barri del Canyeret —bressol del gènere— i les lifares tenen lloc de forma més discreta i amagada. El garrotín es reclou en tavernes i cellers —el celler del Rialto, el dels Joglars, el de la Sabaleta, el teatret la Violeta (Pujol 1998: 94)— mentre s'incorpora al repertori de rumbers i cantadors flamencs que l'interpreten en castellà, des de Peret a Manuel Gerena i de José Menese a Carmen Amaya.

Durant la dècada de 1980, el garrotín lleidatà viu un primer rebrot important amb l'enregistrament del disc *Lleida Carrinclona 1* (1986), protagonitzat pel Marqués de Pota, lo Parrano i Carles A. Juste *Beethoven* —que esdevindrà l'hereu legítim de tots dos. En el disc, lo Parrano interpreta un garrotín pletòric de classe i de gràcia malgrat la malaltia que sofria i que se l'emportarà un any més tard.

El segon rebrot vindrà de la mà de Manel Ponsa i el seu treball de restauració del flamenc tradicional lleidatà, materialitzat en els discos de La Violeta, *Rumbes Velles i Noves de Lleida* (1998), Garrotan, *Tots els colors de la llum* (2004) i les *Rumberes del Garrotan* (2006).

El garrotín, però, on més ha arrelat ara és en les noves formes cançó improvisada participativa, gràcies a la seua tonada encomanadissa, el seu conegudíssim refrany i l'aire rumber i festiu que imprimeix a les improvisacions.

Darrerament Lleida ha creat una ruta del garrotín per mantenir viu l'imaginari construït al seu voltant. Segurament queda ja ben poc d'aquella ciutat carrinclona del Parrano i Calsoné, de lifares i sandó, de nits eufòriques de *juerga*, guitarres, secrets i pecat. Però el seu esperit epicuri roman arrecerat en aquell punt cadenciós que palpita cada vegada que es toca un garrotín. El *garrotweet*, òbviament, és tota una altra cosa.

El trovo de l'Alpujarra i altres tradicions de cançó improvisada a Andalusia

El trovo de la Alpujarra sembla la pervivència d'una antiga tradició estesa per tot el sud peninsular, perduda ja a molts indrets i conservada només en zones molt concretes d'Andalusia: l'Alpujarra Baixa, la vall del Genil, la comarca dels Vélez i el camp de Gibraltar en serien, potser, les més significades.

A l'Alpujarra Baixa, en els *cortijos* de les rambles de la Contraviesa —en el territori demarcat pels municipis d'Albuñol, Albondón, Murtas, Turón i Adra—, el trovo alegrava unes vides confinades en la pobresa i abocades a una economia de subsistència basada en el minifundi. Aquest *modus vivendi* estimulava alhora la competitivitat i la cooperació: l'única forma d'assegurar l'autosuficiència era mitjançant l'articulació d'un sistema solidari d'ajudes mútues, el *tornapeón*, que concloïa sempre en forma de festa *cortijera* on no faltava el trovo. Com lúcidament assenyala Alberto del Campo (2006: 143): «*si el tornapeón instaurava una reciprocidad utilitaria, las veladas de trovo funcionavan como un auténtico sistema de reciprocidad expresiva*».

Òbviament, no era aquesta l'única oportunitat on podia sorgir la cançó improvisada: qualsevol reunió festiva o familiar podia ser l'excusa per *trovar* una bona estona. Sempre, però, al voltant d'una taula amanida amb viandes i vi.

En aquestes vetllades de comensalitat col·lectiva, els *troveros* improvisaven quintetes sobre l'armadura musical del fandango *cortijero* que els proveïa una agrupació instrumental on eren imprescindibles la guitarra i el violí, els quals eventualment podien veure's reforçats per instruments de doble corda com la bandúrria i el llaüt.

Com tots els fandangos, el *cortijero* té sis frases musicals, per la qual cosa s'ha de repetir un dels versos de la quinteta que sempre sol ser el primer:

Trabajo en la propia luz
y odio el invernadero
porque eso es una cruz,
que vale más que el dinero
el conservar la salud.

José Soto (Criado-Ramos 1992: 404)

La improvisació té lloc sempre en forma de controvèrsia entre dos o més *troveros* (*revezo* en diuen, de l'intercanvi de trovos). Cada *revezo* dura entre cinc i deu minuts.

El contingut del trovo *cortijero* era, en la major part de casos, jocós, satíric, ocurrent. «*Realismo burlesco*» n'ha dit Alberto del Campo (2006: 419-420); els andalusos segurament en dirien *guasa*. En qualsevol cas, el trovo és el vehicle expressiu que han trobat els alpuixarrenys per «riure's de la realitat subalterna que els ha tocat en sort», per autocelebrar-se. Aquest caràcter i aquesta funcionalitat principal no ha de confondre, però, la naturalesa altament transcendent que els seus usuaris i protagonistes li atorguen.

Un fet crucial en l'evolució del trovo de la Alpujarra és l'emigració forçosa de molts dels treballadors dels *cortijos* de la Contraviesa cap el Campo de Dalías, en Almeria, on l'agricultura enarenada està donant pas a l'extensió de l'hivernacle per a l'explotació de la fruita extraprimerenca.

Molts *troveros* emigraran cap allà a la recerca de millors condicions de vida i aquesta deslocalització tindrà dos efectes complementaris: d'una banda permetrà la interacció entre el trovo cantat per fandangos de la Alpujarra i el trovo *hablao* d'Almeria i, per extensió, el donarà a conéixer en els circuits internacionals de poesia oral improvisada; per l'altra, suscitarà l'arrecerament en el trovo dels immigrats per ancorar la seua identitat *cortijera* i reafirmar la seua memòria col·lectiva.

En paral·lel a aquests dos processos, i amb la mateixa raó de fons que els anima —la despoblació de les zones rurals, l'extensió del model de vida urbana, l'homogeneïtzació cultural i la mercantilització de les relacions socials— el trovo protagonitzarà un *revival* promogut per les institucions que el portaran dalt de l'escenari en voluntarioses recreacions folklòriques.

La primera vegada que el trovo esdevé un espectacle públic organitzat sembla que té lloc el 1957 (Del Campo 2006: 261), però la fita que marcarà un abans i un després en aquest sentit serà la celebració a Murtas, el 27 de desembre del 1972, de las Primeras Justas del Trovo Alpujarreño, en les quals participaren els tres *troveros* més importants de l'època: Miguel García *Candiota*, Rafael *el Panadero* i Antonio Antequera. Tots tres vivien ja en les poblacions costaneres i s'enfrontaven a un ritual molt diferent del de les vetllades *cortijeres*: ací es disposaven torns tancats per a cada actuació i premis en metàl·lic per a les millors i «més pures» interpretacions.

Els *troveros* es veien així en la tessitura de representar-se a ells mateixos, buscant una presumpta puresa que la seua sola presència semblava poder garantir. Amb aquesta paradoxa —la puresa es buscava des de la mistificació recreada a l'escenari— s'iniciava la trajectòria del trovo festivaler que ràpidament s'estengué a la zona de residència actual dels *troveros*: el Campo de Dalías, on el 1975 se celebrà el I Festival de Trovo de las Norias. Des del 1972 tenia lloc un festival semblant a Cartagena i, a partir del 1977 se n'organitzarà un altre a Rute (Còrdova). I ja el 1986 se celebrà a Yeguen el I Festival de Música Tradicional de la Alpujarra.

Els temes comencen a ser prefixats per un jurat aliè a l'imaginari col·lectiu trover: els *troveros* no trien els temes de les seues improvisacions i troven per al jurat, no per al públic. Es consoliden formacions estables amb músics i parelles de *troveros* organitzades (Murtas: Candiota i José Soto; Albuñol: Antonio Fernández *de las Joyas* i Antonio Antequera; Balanegra: José López Sevilla i Paco Megías; la Rambla del Banco: Juan Morón i Manuel Fernández *el de la Magaña*, etc.). Algunes d'aquestes formacions es consoliden fora del marc del festival i comencen a ser contractades per a les festes dels pobles; altres es refan —Candiota amb Sevilla, per exemple

La participació de *troveros* en festivals internacionals ha provocat també alguns fenòmens de mestissatge: els més agosarats han començat a improvisar sobre dècimes cantades per guajires o pel punt cubà, com han vist fer als repentistes de Canàries, Cuba o Argentina; els partidaris de dotar el trovo d'un contingut poètic i filosòfic més elevat —el gran Candiota en seria el cas més paradigmàtic— han vist reforçades les seues posicions; i, d'una manera o altra, els *troveros* s'hi han reconegut en una expressió cultural ben bé universal, fet que ha somogut i enfortit alhora la percepció que tenien d'ells mateixos.

Miguel García *Candiota* (Albuñol, 1936-2007) ha estat, sens dubte, el *trovero* més important de les darreres dècades. Candiota dominava tots els registres expressius però en els últims anys de la seua trajectòria es decantà per un trovo filosòfic, d'arrels cultistes que resultà molt controvertit i que contrastava clarament amb les formes bufonesques del divertidíssim Antonio *de las Joyas* o l'agressivitat verbal de Paco Megías:

Luchamos en esta esfera
como bestias, con quebranto,
y al final de la carrera
nos llevan al Campo Santo
en un traje de madera.

(Spanhi 1983: 153)

El trovo de la Alpujarra ha tingut en el periodista Pepe Criado un dels seus màxims difusors i dinamitzadors i recentment ha estat objecte d'una extraordinària investigació realitzada en forma de tesi doctoral per l'antropòleg Alberto del Campo i materialitzada en un monumental volum, *Trovadores de repente* (2006) —més de quatre-centes pàgines a dues columnes en format gran—, mereixedor del Premi Internacional d'Investigació Etnogràfica Ángel Carril.

La tradició de la cançó improvisada andalusa, com hem dit, no es circumscriu només a l'Alpujarra i Almeria, sinó que apareix en altres àrees també molt delimitades i amb una fesomia relativament semblant.

Una d'aquestes àrees és la vall mitjana del riu Genil: des dels municipis granadins de Huétor-Tajar, Loja, Zagra i Algarinejo i els cordovesos d'Iznájar, Rute, Lucena i Cuevas de San Marcos fins a Villanueva de Algaidas, Villanueva de Tapia i Villanueva del Trabuco ja en la província de Màlaga (Galeote 2005). Ací ha arrelat els que s'anomena *cante de poetas* interpretat per una colla d'improvisadors coneguts amb l'apel·latiu genèric de *poetas del Genil* que participen en controvèrsies cantades —*velás de poetas.*

Els poetes del Genil, com els *troveros* de l'Alpujarra, improvisen les seues quintetes sobre l'armadura musical del fandango *cortijero* però sense acompanyament musical.

El poeta més conegut és Gerardo Páez *el Carpintero* (Villanueva de Tapia, 1932). Al seu costat destaquen José María Pérez *El Lojeño,* José Arévalo *Chaparrillo* i Ildefonso Pérez *El Caco chico.* Tots quatre participaren, durant la passada dècada, en dos discos compactes editats per iniciativa de Manuel Galeote: *Así cantan los poetas del Genil,* Ediciones del Proyecto ALDA–Fonoteca del Genil, vol. 1, 2002; i *Los poetas del Genil: Mano a mano,* Ediciones del Proyecto ALDA–Fonoteca del Genil, vol. 2, 2005.

Finalment, una tercera zona on la cançó improvisada té una forta implantació en Andalusia és el Camp de Gibraltar. Allí es canta el *chacarrà,* anomenat també *fandango tarifeño* o *fandango campero.* El nom de *chacarrà,* de clara ascendència onomatopeica, s'imposà a meitat del segle xx.

El *chacarrà* sembla forjat al caliu de la feina a les almadraves i directament emparentat amb els fandangos de Huelva (Ruiz 2000: 461). Es canta i es balla durant les festes que tenen lloc a *cortijos* i *ventorrillos*, anomenades popularment *fandangazos*, una oportunitat de relació social intersexual.

Sol interpretar-se amb acompanyament de guitarra i de diversos instruments de percussió de fabricació casolana.

Els fandangueros més coneguts són Juan Palillo i Juan González *el Tirilla*, guitarrista, cantador i ballador que visqué a València una llarga temporada:

> *De Valencia yo he venido*
> *con toda la pura verdad,*
> *cuando se muera el Tirilla*
> *ya se acabó el chacarrà.*
>
> (Ruiz 2000: 467)

Trovo (Múrcia)

A Múrcia cal diferenciar dues grans regions pel que fa a la pràctica de la poesia improvisada: l'Horta de Múrcia i el Camp de Cartagena.

La primera s'estendria cap al nord penetrant al País Valencià pel Baix Segura i alguns indrets del Camp d'Alacant i el Vinalopó, on Antonio Sabater o Nazario continuen l'estela trovera de l'anomenat «patriarca del trovo», el tio David Castejón, de Santomera. La segona enllaçaria amb Almeria amb la qual compartiria la filiació minera del cant improvisat i alguns dels seus trets formals més característics.

Dins del món del trovo murcià, Emilio del Carmelo Tomàs (2007) distingeix entre els *troveros* populars —que improvisarien cobles en els rituals festius protagonitzats per les *cuadrillas* i les *hermandades de ánimas*, en forma de malaguenyes o aguilandos— i els troveros professionals que participen en les vetllades, concursos i festivals de trovo. El trovo popular s'acompanya de una rondalla de corda i percussió amb guitarres, violí, llaüt, bandúrria, pandereta, etc. El trovo professional, per contra, s'acompanya exclusivament de guitarra quan s'interpreta per malaguenya flamenca o fandango a la qual eventualment se li afig el violí per acompanyar les dècimes per guajira o les malaguenyes d'estil verdial.

Òbviament els límits entre les modalitats «popular» i «professional» no són nítids perquè molts *troveros* participen de tots dos àmbits —entre ells algun dels més significats com Juan Tudela *Juan Rita,* el carismàtic guió de pasqües de la quadrilla d'Aledo o Manuel Cárceles *el Patiñero,* qui trovava en el ritual dels *Encierres de los Cuadros* en diversos llogarets del camp d'Oriola com la Media Legua, la Aparecida o Escorratel (Tomàs 2002).

Quan s'improvisa per malaguenyes l'estrofa emprada és la quinteta, de la qual es repeteix un vers per completar les sis frases musicals del fandango.

Els aguilandos —també anomenats *pascuas* en la zona de Lorca i la Comarca de los Vélez, ja en Almeria, i *animeras* en el nord-est murcià (Gris 2011: 43)— s'interpreten dins del cicle nadalenc per quadrilles populars que recorren la seua circumscripció per obtenir donatius per al sosteniment del culte, el manteniment de les ermites o fer front a les despeses de la confraria. L'estrofa utilitzada en aquest cas és la quarteta que improvisa un solista, anomenat guió o guia, al qual li respon la resta de la quadrilla amb una tornada que s'inicia amb el darrer vers de la quarteta:

GUIÓ:

La cuadrilla está tocando
la aurora porta su luz
y así sale el aguilando
del pueblo de Santa Cruz.

CUADRILLA:

Del pueblo de Santa Cruz,
digamos con alegría:
Nuestra Madre del Rosario
viene en nuestra compañía.

(Gris 2011)

Un ritual molt singular que té lloc en el Baix Segura és l'anomenat *Encierre del cuadro* en el qual se subhasta l'honor de retornar el quadre o l'estendard del sant o la Mare de Déu a l'ermita una vegada acabada la ronda petitòria de la quadrilla. Els devots que volen participar en la subhasta —normalment per complir una promesa— trien un *trovero* que els hi faça de portaveu i aquest mitjançant versos improvisats, fa pública la postura del seu representat:

PATIÑERO: *Cállate cartagenero,*
olvídate de tu cuenta
y no me seas fulero,
ahora te subo cincuenta
de parte del peluquero.

BARANDA:

En esta noche trovera
donde hay tanto movimientos
que a la Virgen la venera,
yo me elevo a setecientos
y mantengo la bandera.

(Tomàs 2002)

El fenomen de les *cuadrillas* ha viscut en els darrers anys una extraordinària revitalització catalitzada, en bona part, pels diferents encontres que tenen lloc al llarg i ample de la geografia murciana, amb la Fiesta de las Cuadrillas de Barranda (Caravaca de la Cruz) al capdavant.

Diversos autors han relacionat el trovo del Camp de Cartagena amb el procés de convergència entre el seu folklore musical i el flamenc, procés que hauria tingut lloc propiciat per l'aiguabarreig cultural que comportava la mineria i que significaria l'extensió cap al nord d'un fenomen iniciat en els jaciments miners de la Serra de Gàdor —oberts durant la dècada de 1820— i continuat amb els de la Serra Almagrera i la de Cartagena-la Unión. Tanmateix, resulta difícil admetre aquestes hipòtesis en tota la seua extensió perquè el fet que s'hi acaben de materialitzar determinades formes musicals —els anomenats cants miners— no comporta necessàriament un origen simultani de la pràctica poètica improvisada: l'abundant documentació de què es disposa suggereix, per contra, que aquestes formes musicals són l'evolució de gèneres anteriors que ja s'interpretaven amb textos improvisats.

En qualsevol cas, és cert que amb el *boom* miner, el trovo de Cartagena assoleix una anomenada i una difusió que abans no posseïa, especialment des de la irrupció del seu representant emblemàtic, José María Marín (La Palma, Cartagena, 1865-1936). Amb formació culta, va haver d'interrompre els seus estudis per raons familiars i posar-se a treballar a les mines. Aquesta formació li procurà una tècnica verbal molt depurada, amb un lèxic extens i unes rimes molt elaborades. La seua estada a l'Havana per fer el servei militar el posà en contacte amb el repentisme cubà del qual importà a Múrcia la dècima cantada per *guajiras*.

Casimiro Bonmatí (2000: 377) explica l'impacte que la irrupció d'una figura tan excepcional va tenir en el trovo: «*A partir de Marín, los troveros empezaron a respetar la mètrica por encima de todo y tuvieron que aprender, verbigràcia, cuándo murió Cervantes o los nombres de los dioses de la Mitología, viéndose obligados a ir corrigiendo su lenguage desarrapado para poder hablar de las Musas o del Parnaso... El afán por la cultura (la «ciencia» en su jerga) se generalizó entre todos los troveros deseosos de triunfar en el arte*».

Tanta és la fama de Marín que la tradició li endossa la creació del trovo pròpiament dit, és a dir, la glosa d'una quarteta en quatre quintetes[2] cadascuna

---

[2] Òbviament, la glosa d'una quarteta en quintilles és només una de les moltes possibilitats combinatòries que ofereix el gènere: es glosen cobles en dècimes, dècimes en cobles, etc. Tot i això és la forma més repetida quan es fa servir la denominació "trovo". També a les Illes Balears es documenta l'apel·latiu: «Vòltros qui cada dissapte, / Per fé creixe més s'abòno, / Soleu trempá sa guitèrra / Y solfetjau cualque tròbo...», El sen Tiá d'Alaró, «Un cróquis», L'Ignorancia, n° 16, octubre 1879.a.

de les quals acaba amb un dels versos de la quarteta. Tanmateix, com en tantes altres ocasions, es tracta d'una atribució clarament errònia perquè aquest gènere poètic es remunta, si més no, a la literatura dels segles XVI i XVII —Joan de Timoneda i Pere Serafí en serien dos dels més il·lustres practicants a casa nostra— i es popularitzà notablement en la literatura de cordill dels segles XVII o XVIII on ja la trobem amb la denominació de «trovo»: per exemple, en els *Trovos discretos de consejos para cantar con la guitarra*, impresos a Múrcia en la impremta de Francisco Benedicto el 1772. Mossén Martí i Gadea recull un mostrari de «tropos» valencians, com així els anomena, en el seu *Encisam de totes herbes*.

Curiosament, Marín no estava massa dotat per al cant, per la qual cosa dictava les seues cançons a un cantador, com fan generalment els versadors valencians. La presència d'aquest *lazarillo* és, a hores d'ara, un tret característic del trovo cartagener: Àngel Roca o José Martínez *el Taxista* continuen aquesta pràctica presumptament inaugurada per Marín.

Marín rivalitzava amb el *trovero* d'Almeria Castillo o el valencià Manuel Tortosa *el Minero*. A ells dedicà Luis Díaz Martínez un volum on acara els «tres puntals del trovo» (Díaz 1976).

Tant va ser l'auge que tots tres propiciaren en el trovo que aquest esdevingué un espectacle adreçat a la nova burgesia disposada a pagar per aquest nou entreteniment que rivalitzava —o complementava— els *cafés-cantantes* del flamenc (Del Campo 2006: 117-118).

Aquesta semiprofessionalització, no massa habitual en el gènere de la cançó improvisada, la glosava el propi Marín en una quinteta que féu fortuna (Serrano 1980: 177):

> ¡Cuántas veces mi María
> me dijo: no rondes tanto!
> Y hoy dice la esposa mía:
> ¡Si no fuera por el canto,
> de nosotros qué sería!

Marín, Castillo i el Minero representaven formes diferents, i més o menys estereotipades, d'entendre el desenvolupament miner de la regió: el primer el veia com una oportunitat per prosperar, els altres dos com qualsevol altra forma d'explotació de la classe obrera. Castillo, fins i tot, va estar alguns anys empresonat per la seua participació a les revoltes mineres.

De la confrontació entre aquestes postures antagòniques han quedat algunes controvèrsies històriques, com la que tingué lloc a Portman entre Marín i el Minero el 5 de març de 1905 (Serrano 1980: 119-143), on el primer havia de defensar el patró i el segon l'obrer:

MINERO: *Yo del rico nada quiero,*
ni aún la felicidad; .
de todo el que no es obrero
desprecio yo la amistad
lo mismo que su dinero.

MARÍN: *Yo cuando voy a pedir*
un jornal y me lo dan,
pudiendo así conseguir
llevar a mis hijos pan,
al burgués sé bendecir.

MINERO: *Al que lo suyo mendiga*
que yo inconsciente le llame
en esta ocasión me obliga;
eres cual perro que lame
la mano que lo castiga.

En els darrers anys el trovo de Múrcia i Cartagena ha rebut una gran atenció tant per banda dels estudiosos com de les institucions.

S'han escrit multitud de biografies dels troveros més significats amb Marín al capdavant (Roca, 1971; Serrano, 1980); Manuel Cárceles *el Patiñero* (Flores i Tomàs, 2009; Flores et al., 1986); Castillo (Díaz, 1972), José Travel *el Repuntín* (Luengo, 1984; Luengo 2003), Gregorio Madrid (Manzanares, 1966); Juan Tudela *el tio Juan Rita* (Otalora, 1993; Gris, 2010; Gris, 2012); David Castejón *el tio David* (Serrano, 1976); Manuel García *el Minero* (Mouzo, 1996); Loli la de los Parises (Martínez, 1976); etc.

El 1990 l'Asamblea Regional li atorgà la condició de Bé d'Interés Cultural i des del 2003 es celebra a Cartagena el festival Trovalia que ha esdevingut una de les cites ineludibles per a la cançó improvisada de la Mediterrània.

Ottava rima (Itàlia)

L'*ottava rima* és una modalitat de cant improvisat pròpia de la Toscana, el nord del Laci i algunes zones d'Umbria, l'Emília Romanya, els Abruzzo, les Marques i els Apenins.

L'interpreten poetes especialitzats, anomenats *poeti a braccio* que realitzen duels poètics sobre temes prefixats que poden procedir de la literatura clàssica, de l'actualitat política, d'algun fet històric rellevant, etc. També existeix la possibilitat de que cada poeta represente un estereotip o un personatge determinat: la sogra i la nora, el pare i el fill, el patró i el treballador, una monja i una prostituta, la llebre i el caçador, l'aigua i el vi o dos polítics enfrontats —Berlusconi i D'Alema, per exemple; etc. En aquest cas el duel es denomina *gare a contrasto* (Macchiarella 2003: 70). No hi ha un guanyador explícit del duel ni la discussió sol resoldre's mai en un acord amistós: els poetes debaten fins que el tema s'exhaureix o un dels dos el dóna per finit.

Els poetes improvisen estrofes de vuit versos hendecasíl·labs (decasíl·labs en el recompte sil·làbic català) que rimen usualment segons l'estructura ABABABCC: l'anomenada octava cavalleresca o octava ariostesca que es diferencia d'altres octets improvisats —el sicilià, per exemple—, pel dístic aparellat final, la *martellata* o *pistolotto*. Es creu que aquest metre fou introduït des de França en el segle XII.

classica cittadina di montagna	clàssic poble de muntanya
incastonata in mezzo alla natura	situat enmig de la natura
con il modo di far che ti accompagna	amb la manera de fer que t'acompanya
sembri un magico tocco di pittura	et veus com un toc màgic de pintura
il villeggiante con la sua compagna	l'estiuejant amb la seua companya
ci gode l'aria e la pace più pura	gaudeix de l'aire i la pau més pura
dolce e silente piena di ideali	dolça e silent, plena d'ideals
sei semplice ma bella e perciò vali	ets senzill, però bonic i per això vals la pena
	(Bravi 2004)

La rima s'encavalla d'una estrofa a la següent, de forma que el poeta que intervé a continuació comença amb un vers que rima amb el darrer del precedent —CDCDCDEE—, per la qual cosa no pot emprendre la construcció de l'estrofa completa fins que aquell arriba al final.

La llargària del vers suggeriria l'existència d'una cesura, però aquesta moltes vegades és imperceptible i quan hi és no sol ocupar una posició fixa.

Musicalment, l'*ottava rima* s'interpreta sense acompanyament instrumental, a l'aire, amb una certa llibertat rítmica i melòdica —que sol reservar l'acumulació de melismes per a la penúltima síl·laba d'alguns versos. Els *poeti* gesticulen emfàticament mentre canten, assenyalen l'adversari i acompanyen amb el moviment dels braços el seu discurs en una estratègia que aparenta donar molta importància retòrica a la interpretació. Així, si més no, li ho confessava el poeta Lio Bianchi a Elisabeth Rosse (2009: 108): «*Il modo di cantare è il modo di convincere*».

Els experts fan remuntar els orígens d'aquesta tradició poètica als ambients populars i joglarescs dels segles XIV i XV, quan *cantambianchi* i *canterini* voltaven pels pobles de la Toscana interpretant cançons narratives amb una estructura semblant. La seua antiguitat queda clarament certificada en el *Tractato et la arte de li rithimi volgari* escrit per Gidino di Sommacampagna entre el 1381 i el 1384 (Franceschini 1999: 51):

> *Contrasto èe quando duy compagni cantando parlano l'uno contra l'altro, de una medesima materia. E lo primo che comincia èe appellato opponente, e lo secondo èe appellato respondente: e l'uno tene la sua oppinione per una de le parte, e l'altro responde e tene una opposira oppinione per un'altra parte, a modo de una disputanza: e zaschaduno de loro canta una stancia de lo ditto contrasto, la quale stancia può essere de octo versi de undexesillabe per zaschaduno. Videlicet li primi sey versi de due consonancie [...] e poscia lo septimo e lo octavo verso debbono essere de una consonancia diversa dale altre consonancie de li primi sey versi preditti.*

L'*ottava rima* arrelà també en la tradició escrita fet que es pot resseguir en l'obra de Bocaccio, Poliziano, Tasso o el mateix Ariosto que dóna nom a una de les denominacions de l'estrofa. En el segle XVIII, però, abandona l'àmbit de la literatura canònica per quedar definitivament confinada en la poesia popular.

Entre els improvisadors de més anomenada trobem la pastora Beatrice Bugelli (Pian degli Ontani, 1803-1885), Vasco Cai (Bientina, 1905-1982) —unànimement considerat com el gran mestre de la improvisació toscana del segle xx—, Gino Ceccherini (1901-1973), Elio Piccardi o Riccardo Colotti (Tarquínia, 1899-1993).

En l'actualitat l'*ottava rima* gaudeix d'una magnífica salut i compta amb diversos festivals i encontres anuals entre els quals destaquen l'Incontro di poesia estemporanea de Ribolla (Grosseto) i el Festival regionale di canto a braccio de Borbona (Rieti).

No és aquesta l'única forma de cançó improvisada que es pot trobar a Itàlia. En Sabina i Abruzzo s'improvisen tercets i quartetes amb acompanyament de *ciaramella*. En una àmplia regió, que abasta des de la Itàlia Central fins a Sicília, es canten *stornelli*: un repertori divers de cançons improvisades amb una estructura estròfica bastant rígida que compta amb tres o quatre versos el primer dels quals obeeix a una fórmula preestablerta. Quan la improvisació té lloc en forma de controvèrsia s'anomena *llamada a botta e risposta*. Ignazio Macchiarella (2003: 70) atribueix la gran difusió dels *stornelli* a l'obra de cantants com Tarcisio Parigi i Claudio Villa, els quals en feren arranjaments instrumentals que assoliren una gran popularitat.

Gara Poetica (Sardenya)

A l'illa de Sardenya la cançó improvisada es practica en quatre modalitats diferents irregularment distribuïdes per la geografia insular: el nord, excloent la Galura, és el territori de l'*ottada*; en la zona de l'Alt Campidano, al centre de l'illa i en la seua vessant occidental, està difosa la *repentina*; en una petita regió situada al bell mig de l'illa que inclou parts de la Barbagia i el Barigadu, es conserva miraculosament el *mutos*; i en el sud, en una àrea que integra les províncies de Càller, Sulcis i el Campidano central, es canta el *mutetus*.

El marc habitual en què s'interpreten totes quatre tipologies és el de la controvèrsia, d'aquí el nom amb què es coneix el gènere: *gara poetica* —literalment, 'guerra poètica'. Els temes que es debaten són elegits pels organitzadors, pel públic o pels veïns del poble setmanes abans de que la *gara* tinga lloc.

La *gara*, òbviament, ha anat perdent moltes de les connotacions que tenia en la societat tradicional, quan hi havia una transferència dels continguts i de la resolució de cada duel a l'estatus social del poeta: el que reafirmava la seua virilitat en el cant i guanyava la disputa, transferia aquest prestigi al camp de la seua virilitat real (Mathias 1976: 496). Aquesta autorepresentació era molt important en una societat patriarcal i masclista com la sarda, segregada sexualment per la distribució del treball, amb una comunicació intersexual severament limitada i amb una elevada valoració de les qualitats personals per a fer front a un entorn hostil.

La *gara* poètica encara permet avui l'expressió de sentiments profunds en una forma acceptada i proporciona una forma institucionalitzada de reforçar l'estatus social, però ha adquirit un clar component lúdic i autocelebratiu, que atorga a la llengua sarda un paper simbòlic com a vehicle comunicatiu transcendent en un marc d'intensa diglòssia.

El tret més distintiu de la cançó improvisada a Sardenya és la participació d'un cor especialitzat que amollona les intervencions dels *cantadoris* amb unes frases guturals sense sentit interpretades a dues o tres veus, en funció de la modalitat. Les tres veus s'anomenen de formes lleugerament diferents depenent de la varietat dialectal emprada. En campidanés són *basciu*, *contra* i, quan hi és, *mesu boxi*. El cor actua com a connexió entre els *cantadoris* i la comunitat i vincula la cantada a l'estètica vocal sarda més distintiva: la de les mundialment reconegudes polifonies del *canto a tenore*.

Elizabeth Mathias, en una investigació duta a terme durant la dècada de 1970, es sorprenia (1976: 491) de l'admiració que concitava l'home capaç de fer el baix en el cor, però certament l'exigència vocal d'aquest tipus d'interpretació és ben elevada. El baix, mitjançant una tècnica que implica una posició particular de la laringe, aconsegueix crear una doble vibració, un so difònic que imprimeix a la polifonia el seu timbre tan característic (Zedda 2003: 261).

L'*ottada* està directament emparentada amb l'*ottava rima*: es canta, doncs, sobre octets hendecasíl·labs de rima ABABABCC, per bé que, a diferència del que ocorre amb la seua germana continental, es permeten estructures de rima diferents en el primer sextet —ABBABA, per exemple— i la rima no s'encadena entre un *cantadori* i el següent. Per amenitzar la *gara* els organitzadors poden suggerir peus forçats o altres limitacions formals.

La *gara* poètica logudoresa tal i com es coneix avui es va configurar a finals de segle XX quan el món de la improvisació poètica al nord de l'illa estava dominat per les figures d'Antonio Cubeddu (Ozieri 1863 - Roma 1965) —a qui hom atribueix la convocatòria de la primera *gara* coneguda—, Gavino Contini (Siligo, 1855 – 1915) i Giuseppe Pirastru (Ozieri, 1858 - 1931).

La *gara a sa repentina* està molt menys difosa que la *gara a ottadas*. S'anomena així perquè la *repentina* és una de les estrofes que més s'hi utilitzen. La *gara*, segons la sistematització que n'ha fet Marco Lutzu (2011: 193) s'estructura en quatre fases: en primer lloc la salutació —*s'esòrdiu*— que s'inicia amb un *mutetus* —del qual ja explicàrem la seua complexitat arquitectònica en una secció anterior—, al qual segueixen una *currentina* i un nombre indefinit de *repentinas*; en segon —*su tema*— el debat, cantat sobre idèntica articulació de *currentina* i *repentinas*; en tercer, les *duinas*, que consisteixen en una llarga *currentina* confegida col·lectivament per tots els poetes participants, de dos en dos versos; i, finalment, unes estrofes dedicades al sant que patrocina la gara sobre l'esquema *currentina-repentinas*.

La *currentina* consta d'un nombre indefinit de versos —que pot superar netament la vintena—, conformats per dos hemistiquis d'entre set i nou síl·labes, amb rima alterna.

La *repentina* també té un nombre il·limitat de versos i reprodueix algunes de les complexitats del *mutetus*: la repetició de versos amb paraules reordenades que obliga a la coexistència en un mateix vers de paraules susceptibles de rimar amb les dels versos pròxims:

Is de foras e is localis   arriceis su saludu miu
A cantai seu beniu   in s'idea 'e si diletai
Seu beniu a cantai sentza is fortzas di Enea
A si diletai in s'idea   pensu custu de dd'ai fatu

Els que vénen de fora i els del lloc   rebeu la meua salutació
A cantar he vingut   amb la idea de complaure-vos
He vingut a cantar   sense la força d'Enees
A complaure-vos en la idea   crec que ho vaig a fer

(Lutzu 2011: 195)

Una particularitat de la *repentina* és que es pot acompanyar amb el *launeddas*, triple clarinet tradicional privatiu de l'illa, consistent en tres canyes amb llengüeta simple, que formen part del mateix cos i que es toca amb la tècnica de la respiració circular.

La *gara a su repentina* sarda viu dies incerts, malgrat la recuperació que s'aprecia en els darrers temps. Només hi ha tres *cantadoris* històrics en actiu —Remo Orrù, Efisio Caddeo i Giovanni Martis— però, des del 2005, la nova província del Medio Campidano ja ha posat en marxa un projecte d'estudi i difusió de la cançó improvisada en el seu territori que s'ha materialitzat en un web, un DVD i una publicació escrita. Com a colofó s'ha obert la primera escola de *repentina* i s'han afegit tres joves a l'exigua nòmina d'intèrprets; Alberti Atzori, Giuseppe Caddeo i Roberto Murru.

La *poesia a mutos* —dita en alguns pobles a *frores*, a *mutetus* o a *mutus frorius*— viu una situació bastant semblant o potser més vulnerable, perquè comparteix territori amb les *gare poetiche a ottadas*, que posseeixen un prestigi més elevat i es reserven per a les ocasions més assenyalades, mentre la *poesia a mutos* es deixa per a celebracions menors. Fins i tot s'hi distingeix entre *cantare a poesia* —ottadas— i *cantare a mutos* (Bravi 200).

L'estructura del *mutus* és també d'un alta complexitat i la seua interpretació requereix un gran capacitat memorística. Es divideix en dues seccions, dites l'*sterrimenta* i l'*amontu*. La primera consisteix en un seguit indefinit de versos heptasíl·labs sense rima. La segona, comença amb el mateix vers que la primera i, a partir d'aquí, es canten els versos necessaris per reconstruir en sentit invers les terminacions de la primera secció: el segon vers de l'*amontu* rima amb el darrer vers de l'*sterrimenta*, el tercer amb el penúltim i així successivament. Una estructura amb vuit versos —fet molt infreqüent, perquè com a mínim s'aproximen a la vintena— quedaria, doncs, així: *sterrimenta,* ABCDEFGH; *amontu,* AHGFEDCBA. *L'amontu* es repeteix en una darrera secció —l'*arretrogu,* amb l'estructura lleument modificada BHGFEDAB— que sembla concebuda per donar temps al següent poeta a preparar les seues estrofes.

Finalment, del *mutetus* ja havíem donat compte en pàgines precedents. Només convindria afegir al ja explicat, la disposició escènica dels participants per la seua especificitat. Els *cantadoris* se situen asseguts en la part posterior de l'escenari i al seu costat es disposa el cor. Davant d'ells hi ha una taula amb begudes i dolços tradicionals —com sol ocórrer als glosats menorquins— i, davant de tot, un micròfon i una cadira. Quan el *cantadori* ha d'intervenir, s'alça, es desplaça al front de l'escenari, s'agafa amb les mans del respatller de la cadira que queda al seu davant i canta sense gesticular. La *cantada* sol durar al voltant de tres hores i es dedica la darrera mitja hora a cantar *versus* senzills amb l'acompanyament de guitarra, a mode de coda final (Zedda 2009: 13-14).

Actualment hi ha un bon grapat de cantadors de *mutetus* que observen amb una certa preocupació l'elevada mitjana d'edat dels assistents a les *cantadas* —entre d'altres raons, per la poca difusió entre els joves de la llengua sarda. Entre els intèrprets actuals podem anomenar Paulu Zedda —un dels investigadors més actius del gènere—, Robertu Zuncheddu, Marcu Melis, Sarbadori Marras, Manueli Saba, Pepuciu Loni, Antoni Pani, Eliseu Vargiu, Pierpaulu Falqui, Omeru Atza, Pascuali Sanna, Antoneddu Orrù...

Chjama è rispondi (Còrsega)

A Còrsega, la pràctica de la cançó improvisada s'anomena genèricament *chjama è rispondi* —literalment «crida i resposta»— i té lloc en forma de debat entre dos o més poetes —*cuntrasti*.

Els poetes improvisen estrofes sobre l'estructura tradicional de tres versos de setze peus —*terzini*—, encara que en algunes transcripcions apareixen com a sextets de vuit peus —heptasíl·labs en el recompte sil·làbic català. La forma de cantar no acaba d'ajudar a decantar-se cap una o altra opció perquè, si bé és cert que en moltes ocasions es percep una cesura clara que divideix el vers en dos hemistiquis, en altres, tots dos hemistiquis es pronuncien com una única frase musical.

La rima es pot distribuir en molt diverses combinacions: rima senzilla al final de cadascun dels tres versos (ab–cb–db); doble o *incrucciate*, en la qual rimen els tres primers hemistiquis i els tres segons (ab–ab–ab); i altres variants d'aquestes: ab–cb–dd; ab–ba–cc, etc.

Un exemple del primer tipus de rima seria aquest tercet amb què la cantadora Anghjula Maria Leca —una de les escasses veus femenines en l'àmbit de la improvisació poètica a Còrsega— iniciava una tirallonga d'estrofes improvisades amb motiu del casament del seu fill:

> *Si bo vulete ch'e canti, e vi faraghj'un tarzinu*
> *Da l'amici è i parenti, di luntanu è di vicinu*
> *Manghjate duie frittelle, arrusate cù lu vinu*

> Ja que vol que jo cante, faré un tercet
> als amics i parents, propers i llunyans
> preneu-vos uns bunyols, regats amb un bon vi
> (Casalonga 2011: 389)

I un exemple de rima doble:

Paulu quand'io ti sentu   m'appoghju sempre una stonda
Per coglie megliu l'accentu e a to rima prufonda
Ch'ellu mi porta u ventu chi vene da a to sponda

(Ancey 2011: 345)

Els tercets es canten sense acompanyament instrumental, fent servir una melodia que es pot escoltar en altres repertoris cantats anomenada *u versu currente*. És un cant lent, declamatiu, amb notes llargues i un ús molt contingut de la melismació.

El *chjama è rispondi* pot cantar-se en qualsevol reunió informal, en el bar o al llevant de taula, però ja fa temps que s'ha traslladat també a l'escenari. En aquesta situació més codificada té lloc un ritual molt semblant al que es pot trobar per tot arreu: uns primers tercets de salutació, elogi del poble amfitrió, de les autoritats presents i dels organitzadors, d'invocació d'allò sagrat o de les muses perquè propicien la inspiració i d'homenatge a poetes presents. Després, ja s'entra en el tema de debat —*sugettu*— que sorgeix espontàniament a partir d'algun comentari realitzat durant els tercets de presentació o d'una idea introduïda per algun dels poetes a propòsit. En Còrsega, al contrari que en moltes altres tradicions de duels poètics, el tema rarament es prefixat. El debat, per tant, evoluciona sovint d'un tema a un altre proper, mentre els poetes intenten argumentar la seua posició, contradir la dels rivals i posar-los en evidència.

El *chjama è rispondi* va viure un període de crisi durant la dècada de 1960, quan els poetes en actiu es podien comptar amb els dits d'una mà: Francesco Casaromani *U Magiurellu*, Minellu d'Asco, Devota, Minicale, Pampasgliolu (Casalonga 2005: 91).

Tanmateix, i sota l'impuls entre d'altres de Toni Casalonga, la cançó improvisada comença a recuperar presència pública a partir de la segona meitat de la dècada de 1970: el 1975 tingué lloc la primera cita d'aquesta represa amb una trobada a Pigna que reuní *U Magiurellu*, Antone Vincensini i Ghjuliu Bernardini; el 1985 el cens de poetes ja reunia setanta-nou noms (Ibídem: 92); i el 1986 es publicà el primer estudi global del gènere: *États des Recherches sur le 'chjama è rispondi'*, editat per l'associació E Voce di U Cumune. Des d'aleshores ençà, s'han celebrat diversos festivals anuals, seminaris i congressos, s'han adaptat els mètodes d'ensenyament de la improvisació de les escoles de *bertsolaris* i els desenvolupats per Felip Munar per a la glosa balear, s'ha creat l'associació regional *Chjam'è rispondi* (2008) i s'ha integrat en el projecte Incontro Transfrontaliero que uneix Còrsega amb Sardenya i la Itàlia Central per difondre el coneixement i valoració de les respectives tradicions orals i, en especial, de la cançó improvisada. Ara per ara són molts els poetes que participen en els *cuntrasti,* alguns d'ells bastant joves amb la qual cosa s'hi garanteix el necessari relleu generacional: Battì Abertini, Olivier Ancey, Paulu Calzarelli, Jacques Ferrari, Cristofanu Limongi, Roccu Mambrini *U Rusignolu*, Carlinu Orsucci, Paulu Santu Parigi, Ghjuvan' Petru Ristori, Petru Santucci, Luiggi Savignoni, Francescu Simeoni, Ghjuvan' Federicu Terrazzoni...

Mantinada (Creta)

La *mantinada* és un gènere poètic que no es troba vinculat a cap estructura musical concreta. Les *mantinades* poden cantar-se, recitar-se, escriure's, ser introduïdes en una conversació normal o enviar-se per *WhatsApp*: són l'armadura poètica preferida pels cretencs per estructurar el pensament i expressar les seues emocions.

No hi ha, per tant, intèrprets especialistes en cantar *mantinades* a la manera que entendríem un cantador de jotes o un glosador. Sí que hi ha, però, especialistes en concebre-les, el *mantinadologos*, i persones molt apreciades per l'oportunitat amb què les utilitzen en el *glendi*, la reunió festiva cretenca. A l'illa de Karpathos, en el Dodecanés, aquesta persona a la qual se li reconeix la seua excel·lència com a participant en els *glendi*, s'anomena *meraklís* (p. *meraklídes*).

Les *mantinades* s'interpreten, doncs, en qualsevol situació de la vida quotidiana: reunions d'amics —*paréa*—, celebracions familiars, en rondes nocturnes —*kanthades*—, programes de ràdio i de televisió, etc. Per cantar-les en un context musical, s'utilitzen diversos gèneres: les *kontiliés* —també dites *siganó pentozali*— que es canten als banquets de noces en el ball de la núvia —*horos tis nifis*— i en molts altres ambients festius, el *himatikó*, balls populars com l'*angaliastós* de l'est de l'illa; etc.

Les *mantinades* especialment afortunades es transmeten de generació en generació: molts cretencs serien capaços de reproduir-ne centenars, algunes de les quals documentades, amb més o menys variants, ja fa quatre-cents anys.

Una *mantinada* és un dístic decapentasíl·lab en metre iàmbic que acaba amb una paraula plana i que es divideix en dos hemistiquis de vuit i set síl·labes.

> Με τα κολοκυθοφυλλα δεν κανουμε ντολμαδες
> μηδε και παρεξηγησεις εχουν οι μαπτινιαδες

> Amb fulles de carabasseta no fem dolmades
> tampoc malentesos tenen les mantinades.

Aquesta *mantinada* sol pronunciar-se quan algú s'enfada pel contingut d'alguna *mantinada* prèvia en un *glendi* (Sykäri 2009: 95).

Dístics rimats com aquests hi ha a tot el món grec: *mantinada* (Creta i el Dodecanès), *patinada* (Hios), *tsàtisma* (Xipre), *amanés* (Àsia Menor), *kotsaki* (Cíclades)... El seu nom genèric és *lianotragoudo* (lit. 'cobla'). (Beaton 1980: 148)

Roderick Beaton ha observat que els *rimadori* cretencs construeixen els seus llargs poemes narratius amb una tècnica consistent en l'acumulació de *mantinades* autònomes que hi funcionen com a petits mòduls de significat. Amb aquest procediment, el poema es pot fer més llarg o més curt depenent dels mòduls utilitzats, i el poeta no necessita retenir el seu contingut complet sinó que, fent bones les teories formulars de Lord i Parry, el reconstrueix per a cada ocasió.

El fet que siguen rimades és, segons alguns investigadors, una prova de la seua modernitat: la rima mai va ser utilitzada de forma sistemàtica en la Grècia clàssica ni en cap de les formes literàries que es desenvoluparen durant l'imperi Bizantí. Sembla que l'ús del dístic rimat data del segle xv durant l'ocupació veneciana de l'illa. (Ibídem: 149). El fet que *mantinada* derive possiblement de *mattinato* —manlleu del llegat venecià: 'albada'—, avalaria aquesta suposició.

Una bona mantinada ha de ser rítmicament i mètricament correcta, ha de posseir excel·lència poètica i ha de tenir sentit: escaiença (Caraveli 1985: 265).

> Retinc cada «t'estime» pronunciat pels teus llavis
> com la petxina reté el so de la mar.
> Kostoula Papadoyanni (Sykäri 2011)

L'escaiença de les *mantinades* juga un paper decisiu en el *glendi*, la celebració organitzada amb motiu d'un casament, un bateig, una festa cívica —religiosa, etc. El *glendi* sol tenir lloc en un espai públic, normalment la plaça del poble, i la música hi té un paper central. Els músics —depén de la zona de l'illa on se celebre poden canviar els instruments, però una formació estàndard bàsica inclouria *lyra* i *laoúto*— toquen gairebé sense descans. Els participants mengen, beuen, ballen o s'ho miren, mentre els músics comencen a cantar *mantinades* tradicionals. A poc a poc, i a mesura que el vi, el *rakí* i l'eufòria festiva vagen escalfant l'ambient, moltes persones del públic començaran a participar també en l'aportació de *mantinades*, algunes improvisades, altres preparades per a l'ocasió —encarregades a un *mantinadologos* que les compon adreçades als nuvis, el sant o a qui el sol·licitant haja demanat—, altres memoritzades del repertori tradicional que s'enuncien com una cita d'autoritat, altres extretes de l'*Erotokri-*

tos, el llarg poema escrit per Vitsentzos Kornaros a principis del segle XVII que constitueix una de les pedres fundacionals de la literatura cretenca. El cant de les *mantinades* pot derivar en un duel entre diversos participants o pot esdevenir una conversació col·lectiva fragmentada de caire sentimental o existencial. A poc a poc, el contingut de les *mantinades* es pot fer més íntim i emotiu, al·ludir a les relacions personals entre els presents i expressar els sentiments amb més èmfasi i sinceritat: és aleshores quan pot esclatar amb tota la seua força catàrtica el *kefi,* aquell estat que tothom ha anat buscant, que es presenta quan vol i que es manifesta físicament amb plors, crits i abraçades (Caraveli 1985: 263).

> El meu *kefi* de parla fosca, et vull aquesta nit: vine!
> Cor ferit meu, deixa't moure al riure!
>
> (Ibídem: 272)

L'intercanvi de *mantinades* adopta, doncs, diverses funcionalitats al llarg del *glendi,* des de renegociar les relacions socials de la comunitat, compartit i debatre les respectives filosofies de vida o autoafirmar la identitat cretenca, fins a exacerbar la sentimentalitat per expressar emocions íntimes que resultarien comprometedores en qualsevol altre context.

L'ús indiscriminat de *mantinades* a programes de televisió, fet que ha popularitzat encara més aquesta forma poètica, ha suscitat algunes crítiques per la possible desvirtuació i banalització a què s'exposa (Alsina 2012: 132), però no deixa de ser un clar símptoma de la seua vigència i adaptació als contextos moderns.

Recentment han començat a organitzar-se també concursos de *mantinades* i s'ha inaugurat la Casa de la *Mantinada* a Korfes.

Tsiattisma (Xipre)

Declarat per la UNESCO Patrimoni Immaterial de la Humanitat l'any 2011, el *tsiattisto* (plural, *tsiattista*) és la forma de cançó improvisada pròpia de l'illa de Xipre que es practica en forma de duel poètic per dos poetes —*tsiattistaes*. *Tsiattisma* —l'art de compondre *tsiattista*— ve del turc *çatmak* que implica la idea de confrontació.

El metre més utilitzat en aquestes justes poètiques, documentades des del segle xv, és el mateix que el de la *mantinada* cretenca: un dístic decapentasil·làbic rimat, per bé que alguns poetes utilitzen altres metres menors —sis, vuit, nou síl·labes.

Un dístics semblants, les *amanedes*, s'empren a l'Àsia Menor, expressats tant en grec com en turc, però el seu contingut sol ser monotemàtic i es dedica a lamentar la futilitat i la fugacitat de la vida terrenal. I la mateixa forma estròfica s'utilitza sovint per les dones que improvisen laments sobre els morts.

Els poetes improvisen sobre temes prefixats o encarnant rols estereotipats i entre les habilitats que se'ls exigeixen hi ha, a banda de l'enginy per a la creació poètica, el domini del dialecte xipriota, una bona retentiva del repertori de *tsiattista* tradicionalitzat i una gran agilitat en l'esgrima dialèctica:

> —Són belles les teues paraules i el poble així ho reconeix
> però volguera que em digueres, Xenís, quina classe d'au eres.
> —Prou, no m'ho preguntes altra vegada, que no tinc res que dir-te.
> Mira'm i observa'm, tu mateix em reconeixeràs.
> —Ja fa temps que t'he reconegut i ho proclame per tot arreu:
> pel vol i pel cant t'assembles a un mussol.
> Pierís Pieretis i Xenís Pátsalos (Ayensa 2000: 367)

Aquesta forma de cançó improvisada es coneix per tota la illa però té una incidència excepcional en l'àrea de Kokkinochoria. Es sol interpretar en festes, fires i altres reunions festives. Són especialment importants les competicions poètiques que s'organitzen a Larnaka en el marc del festival del Kataklysmos.

Els *tsiattista* es canten sobre uns models melòdics anomenats *fones* utilitzats tradicionalment per a la creació de noves cançons mitjançant l'adaptació de diferents versos sobre ells. Els *fones* més emprats per a la improvisació poètica són l'*ishia*, el *paralimnitiki* i l'*avkoritiki* o *anamisi*. Es tracta d'estructures musicals de rang melòdic molt curt i tessitura elevada que es canten acompanyades de *laoúto* i violí. Tots dos instruments interpreten unes frases musicals de caràcter circular que el poeta interromp per cantar el primer vers del seu dístic; mentre això ocorre deixen de tocar abruptament o puntegen lleument en l'instrument i després reprenen el fraseig de bell nou fins que el trenque altra vegada el segon vers del dístic. El cant s'acompanya d'un alt nivell de gesticulació: els poetes branden els braços, assenyalen el rival, l'agafen del muscle, ballen amb els braços oberts mentre sona la música. Hi ha qui manté una certa severitat i només emfasitza les paraules més significatives del seu cant amb el moviment de les mans; altres, però, com el jove poeta Elias Hadjimichael, es belluguen per escena amb la determinació agressiva d'un cantant de rock.

Eusebi Ayensa (2000) ha comparat detalladament els procediments retòrics i els elements formals de la improvisació poètica a Xipre i les Illes Balears i ha trobat, com no podia ser d'altra manera, algunes semblances extraordinàries

La mateixa tradició de composició narrativa en base a *mantinades* que trobem en els *rimadori* cretencs, està àmpliament difosa a Xipre on aquests poetes semiprofessionals reben el nom de *pyitàrides*. La denominació en aquest cas és una mica confusa perquè tant pot referir-se al que interpreta les seues pròpies composicions, el que canta i transmet cançons tradicionals o el que improvisa dístics rimats. I potser que, en algun cas, siguen igual de certes les tres atribucions.

Spirtu Pront (Malta)

L'*spirtu pront* ('enginy ràpid') és un dels tres gèneres que conformen la cançó popular maltesa coneguda amb la denominació de *għana* —pronunciat 'aana', atés que el dígraf *għ* és sord— i, amb molta diferència, el més popular de tots tres. Els altres dos són el *għana tal-fatt* (cançons 'de fets', és a dir, balades) i la *Bormliża* o *għana fil għoli* (el primer nom fa referència al seu presumpte origen en la ciutat de Bormla, el segon a la tessitura en la qual s'interpreta: 'to agut' o 'en falset').

L'*spirtu pront* té el seu santuari particular en els bars i tavernes de les ciutats. Allí es reuneix el grup de cantadors —*għannejja* (singular: *għannej*)— acompanyat d'alguns guitarristes i una colla de seguidors i clients habituals del local per celebrar les *serate* de cançó improvisada.

Els *għannejja* es disposen dempeus darrere del petit semicercle de cadires on seuen els tres guitarristes acompanyants: el guitarra solista, que porta una guitarra lleugerament més petita que les altres —*il prim*— i els altres dos —*daqqaqa sekond*— que proveiran l'armadura harmònica sobre la qual es desplegarà la interpretació. Porten guitarres d'estil espanyol, amb cordes metàl·liques, la caixa de les quals produeix un so sec amb poca ressonància. De vegades aquesta caixa es prolonga en una o dues banyes que acaben en el claviller però que no tenen influència en el so —són ben conegudes les construïdes pel cèlebre guitarrista Indri Brincat *il-Pupa*.

No hi ha contacte visual entre cantadors i guitarristes, perquè tots miren cap el públic del local, ni tampoc entre els mateixos cantadors que rarament es giraran a mirar l'altre ni tan sols en els moments en els quals s'hi adreçaran cantant.

El ritual musical comença amb la introducció del guitarrista. Després els cantadors alternen les seues intervencions separades per una cesura instrumental —*il qalba*— de lluïment del guitarrista que interpreta unes variacions anomenades *prejjem*. I acaben amb una mena de conclusió cantada, la *kadenza*, conformada per dues quartetes on molt sovint es disculpen d'alguna presumpta ofensa comesa durant la sessió o simplement proclamen la innocuïtat de les seues intencions.

El guitarra solista, amb la seua intervenció inicial, marca el *pathos* de la sessió: la tonalitat i el tempo de les interpretacions. Toca una dels molts motius melòdics disponibles mentre els acompanyants raspen uns senzills acords que alternen tònica i dominant. En un dels descansos sobre la tònica, un dels cantadors inicia la seua primera intervenció. Ho fa en l'extrem superior de la tessitura, amb veu crispada i intensa, per traçar un arc descendent que, per la mateixa estructura harmònica de la cançó, adopta un aire sentenciós. El cant és remarcadament sil·làbic —cada síl·laba sembla sorgir amb un colp d'aire diferent—, parsimoniós, sincopat, amb una dicció que va de més a menys: el primer vers s'interpreta amb una vigoria i nervi que es relaxa progressivament, com si el més important fora captar l'atenció de l'audiència amb la major rapidesa possible alhora que s'intimida l'adversari amb la contundència de l'arrancada. Contrasta, però, la incisivitat del cant amb el llenguatge corporal de l'intèrpret que, en comptes de subratllar gestualment el que es canta, sembla no voler comunicar res: el cantador es limita a inclinar cap amunt el cap per ajudar l'esforç vocal mentre manté les mans a les butxaques, les recolza sobre la cadira del guitarrista, les prem dins les aixelles amb els braços fortament creuats o, en alguns casos, en situa una junt a la galta o l'orella —de vegades, amb el puny tancat— en un gest icònic del cant mediterrani

El cantador improvisa estrofes de quatre versos heptasil·làbics amb rima en els parells i alternança de terminacions planes i agudes:

U kollox ċkejken qed naqlagħlek	Te diré els defectes de la teua estatura
U ħu ħsiebu ftit il-Bamboċċ	i vés ben viu amb *il-Bamboċċ*.
Il-lejla beħsiebu jdawrek	Avui vespre te farà donar més voltes
Daqs minutiera ta'l-arloġġ.	que la minutera d'un rellotge.

Fredu Abela *Il-Bamboċċu* (Mifsud Chircop 2005: 88)

Hi ha una particularitat que introdueix una curiosa arítmia discursiva a la performance: els duels tenen lloc sobre un patró alternat que sembla concebut per donar temps els participants a pensar convenientment les respostes. Així quan participen quatre *għannejja*, el primer combat amb el tercer i el segon amb el quart.

El públic es manté amb una actitud expectant i respectuosa: l'aplaudiment està consuetudinàriament prohibit durant la interpretació a l'igual que qualsevol forma de suport a un *għannej*, en particular mentre aquest està cantant, llevat del riure espontani que propicie una resposta especialment enginyosa. Només al final, quan la *kadenza* pose punt final a la *serata*, hi haurà un aplaudiment unànime al conjunt de cantadors i es faran comentaris de satisfacció per l'actuació d'un o altre.

Típica formació de l'spirtu pront maltés, amb els cantadors dempeus i davant els guitarristes asseguts. En la imatge veiem els cantadors Żaren Mifsud ta' Vestru, Ninu Galea Il-Kalora i Leli Sultana Il-Moni, amb el puny a la galta. Al bell mig, el guitarrista Indri Brincat Il Pupa amb una de les seues guitarres de banya.

A meitat de la dècada de 1950 l'*spirtu pront* va sofrir un petit procés de folklorització en traslladar-se del bar a l'escenari. L'inici d'aquest procés pot datar-se l'any 1953 quan el folklorista G. Cassar Pullicino organitza la primera competició per a la vespra de la festa de sant Pere i sant Pau (*l-Imnarja*): una fira agrícola que acollia el *għana* com a patrimoni tradicional i el sostreia del seu àmbit natural per legitimar-lo com a folklore.

A partir de llavors el *għana* comença a ostentar una certa representativitat cultural: el partit laborista l'adopta en el seus encontres, participa en intercanvis folklòrics, s'interpreta en hotels i altres llocs adreçats al turisme, apareix amb freqüència a la televisió i comencen a publicar-se les primeres cintes de casset dedicades íntegrament al gènere.

Una segona embranzida en idèntica direcció es dóna a través de la tasca agitadora d'investigadors universitaris com el recentment traspassat George Mifsud-Chircop que, durant les dècades de 1980 i 1990, aprofundeix en aquesta progressiva folklorització: el 1998 es va celebrar als Argotti Gardens de Floriana el Primer Festival de Cançó Popular —festival que ha trobat la seua continuació en l'actual Għanafest— i el 2002 es va fundar l'associació de músics i cantants Kadenzi.

Aquesta mediatització del cant popular va tenir una influència decisiva en la seua evolució: va introduir noves formes de fer i d'acompanyar, va privilegiar els elements més susceptibles d'espectacularització i, per uns anys, va produir una certa desorientació en els propis *għannejja*, que no aconseguien avesar-se al format de concurs promogut pels folkloristes —en una línia semblant al Txapelketa Nagusia d'Euskadi. Al capdavall, el concurs responia als desitjos que els promotors tenien respecte al que hauria de ser l'*spirtu pront* i no al que realment era, amb la qual cosa els *għannejja* esdevenien instruments d'una maniobra aliena que, a sobre, els avaluava seguint criteris del tot estranys a l'escala de valors que fins llavors els havia governat. La conseqüència de tot plegat és que els cantadors acabaven representant, de grat o per força, la imatge que uns altres tenien d'ells i es transformava en «tradicional» —i, per tant, «rescatada del passat»— una pràctica cultural plenament vigent, desactivant allò que poguera tenir de subversiva, d'incòmoda o de discordant amb el discurs que justificava la seua promoció.

Els *għannejja*, en qualsevol cas, semblen haver-se sobreposat sense massa desgast als embats de folkloristes, polítics i intel·lectuals, i, malgrat no haver abandonat l'escenari que els reporta una certa celebritat, continuen trobant-se en bars i tavernes amb un propòsit que no ha canviat: divertir-se i fer-se valer cantant (Frechina 2014).

Zàjal (Líban)

El *zàjal* és una de les formes poètiques improvisades més sofisticades de la Mediterrània. Malgrat la coincidència en la denominació, el *zàjal* libanés guarda només un parentesc llunyà amb el *zéjel* andalusí: en realitat, al Líban, aquesta denominació s'utilitza per referir-se a tota la poesia oral expressada en àrab dialectal.

El poeta del *zàjal* s'anomena *zajjāl*, *qawwāl* o *shāʿir zajal*, tres denominacions intercanviables però amb connotacions diferents: la primera fa referència al compositor de *zàjal* —que pot ser incapaç d'improvisar-ne—; la segona, al compositor que assoleix un nivell d'excel·lència suficient per a ser considerat poeta; i la tercera, *qawwāl*, al veritable improvisador de *zàjal* que s'hi dedica professionalment, participa en celebracions públiques i privades i gaudeix d'un gran respecte i prestigi social (Haydar 1989: 192).

Hi ha una gran varietat d'estructures, metres i modalitats de *zàjal* que converteixen qualsevol intent de classificació en una autèntic desgavell de noms i tipologies que se superposen en funció del criteri utilitzat per definir-les.

La poesia es recita o es canta sobre dos estils musicals molt diferents, un de ritme lliure i un altre de ritme regular, que condicionen també el metre elegit. El format habitual en què es presenta en públic és el del duel poètic entre dos o més poetes.

El poeta s'acompanya d'instruments de percussió i d'un cor de seguidors, *al-raddadah,* que li donen suport en el duel i repeteixen determinades línies cantades.

En el moment de màxima difusió, en els anys previs a la guerra, el *zàjal* es va apropar a models esportius com el del bertsolarisme: amb equips de quatre poetes cadascun —*jawqa*— que participen en competicions amb altres equips —*mubārāt*— davant milers de persones. Els duels es tornaren així molt més complexos i podien consistir en discussions sobre temes d'actualitat, exhibicions d'erudició històrica i literària, exercicis lingüístics —ús de paraules amb diacrítics o sense, ús repetit d'homònims, versos en els quals la seua primera paraula ha de seguir l'ordre alfabètic àrab, etc.

Les intervencions de cada poeta en el duel són llargues, argumentades i plenes de metàfores i al·legories. Així responia, per exemple, Tālīc Hamdām a Jiryis al-Bustānī, en un dels duels de *zàjal* més famosos de tots els temps, celebrat a Bayt Mirī el 1971 entre els *jawqa* de Joseph al-Hāshim i el de Khalīl Rūkuz. Al-Bustānī havia dit abans que la Història li reservaria una gran anomenada mentre que a Hamdām només l'esmentaria fugaçment per haver competit amb ell.

> Com de blasfema és la història que, des d'una gran distància,
> se sent obligada a esmentar algú com tu:
> Però suposem que la història no em va esmentar molt a mi.
> Deixa'm dir-te per què, oh presumit:
> El paradís, que està ple de perfum i flors i amor,
> omple la brisa de perfum a mesura que la brisa hi passa (fugaçment)
> És per això que la vostra història (quan ressona)
> passa fugaçment per mi com tu has suggerit.
> I vosaltres també, grans homes, les tempestes de pluja,
> el mar, que ha begut dels meus pensaments,
> l'arc de Sant Martí, la tendresa, la nit d'amor,
> i tots els poetes que han assolit l'estatus més alt,
> tots passen fugaçment per la meua trona
> per ser beneïda per la meua poesia i desaparèixer ràpidament.
>
> (Haydar 1989: 206)

El format de duel poètic tal i com es coneix en l'actualitat s'atribueix a As'ad al-Khūrī al-Faghālī (1894-1937), conegut com Shahrūr al-Wādī, 'merla de la vall', qui amb Rashid Nakhle es considera el patriarca del *zàjal* modern. A tots dos els succeiria una segona generació de poetes capitanejada per Joseph al-Hāshem *Zaghlūl al-Dāmūr*, 'el rossinyol d'al-Damour'. Ell fou el primer en interpretar *zàjal* a la televisió i atorgar-li a aquesta forma poètica una immensa popularitat, traduïda en l'assistència de milers de persones als duels poètics durant les dècades de 1970 i 1980. Del seu cor, fundat el 1945, sorgiren alguns dels noms més importants del zàjal contemporani: Khalīl Rūkuz, Zein Shouaib, Edward Harb, Jean Raad, Asaad Said, Tālīc Hamdām... La generació de *Zaghlūl al-Dāmūr* augmentà sensiblement el nombre de versos per estrofa, depurà les tècniques expressives i dotà el *zàjal* d'una renovada complexitat.

La guerra, però, suposà un trencament profund en l'evolució contemporània del *zàjal* que, a partir de la dècada de 1990, inicià una lenta decadència de la qual sembla començar ara a recuperar-se. En aquest procés, el *zàjal* ha penetrat en àmbits on abans era difícil veure'l: per exemple en contextos explícitament polítics com les vetllades de *zàjal* que organitza Hezbollah com a mitjans d'agitació ideològica i de crida a la resistència.

Ḥida i altres gèneres improvisats (Palestina)

Els duels poètics estan molt difosos per tot el món àrab, amb tradicions encara vives al Marroc, Egipte, Tunísia, tota la península aràbiga, el Líban, com acabem de veure, i Palestina.

Com el *zàjal* libanés, la poesia improvisada Palestina té les seues arrels en la cultura andalusí, la poesia sufí i els himnes siríacs de l'església maronita (Yaqub 2007: 70). I no acaben ací les connexions entre totes dues tradicions poètiques: durant molts anys poetes palestins i libanesos competien en duels improvisats on posaven a prova la vigoria de les seues respectives tradicions. La guerra àrab-israeliana del 1948 trencà aquesta profitosa interacció, encara que es va mantenir el contacte per mitjà de les retransmissions radiofòniques i televisives.

La forma més popular d'improvisació poètica a Palestina s'anomena *ḥida*. Es practica a casaments, festes de circumcisió, batejos i qualsevol mena de cele-bracions privades, per especialistes dits *šăcir šacbi* —poeta popular— o *ḥadda* —literalment, 'soldat a camell que canta'; col·loquialment, 'poeta que canta *ḥida*'.

S'interpreta per parelles. D.H. Sbait en comptabilitzava set en actiu en un estudi del 1993. Les parelles s'acompanyen d'un cor que canta les tornades, fa palmes rítmicament i balla diverses danses.

A més de la *ḥida,* la cançó improvisada a Palestina es desenvolupa sobre sis gèneres més caracteritzats per la seua forma poètica, el mode musical sobre el qual es desenvolupa la melodia i l'estructura d'aquesta mateixa melodia. Dos d'ells es fan servir en les marxes i processons —*farcāwi* i *mḥōrabih*— i els altres cinc s'empren en els debats poètics (*mḥāwarah*): *catāba, mcanna, qarrādi, qaṣīdih* i el ja anomenat *ḥida*. El *catāba,* per exemple, té la particularitat que dels quatre versos que té l'estrofa els tres primers han d'acabar amb una paraula homònima (Sbait 1993: 98).

La *ḥida* es pot interpretar en dístics, quartetes, octets o fins i tot estrofes més llargues. Totes elles es componen de versos de set o vuit peus i es canten sobre un mode musical àrab anomenat *bayyāti*.

A partir de la dècada de 1970, les vicissituds polítiques i, sobretot, la desaparició dels dos grans referents del gènere, Abū Saʻūd i Abū al-Amīn, subsumí la poesia improvisada palestina en un període d'estancament i retrocés del qual sembla que va ressorgir estimulada per les agitacions identitàries de la primera intifada. Allí s'interpretava amb una càrrega emotiva considerable en els funerals convertits en desposoris del mort amb la pàtria Palestina, una inversió simbòlica on la improvisació poètica exercia un paper fonamental.

Òbviament, el context colonial en què viu el país condiciona completament les seues expressions culturals i la poesia improvisada, com a mitjà de comunicació de provada eficàcia, no queda al marge de tals circumstàncies.

Nadia G. Yaqub (2007: 69), per exemple observava com, malgrat que la llengua diària amb què s'expressen els palestins posseeix un nombre ben perceptible de manlleus de l'hebreu, en la poesia improvisada difícilment se'n pot trobar cap: un indici de la dimensió política i identitària que posseeix el gènere.

Igualment, és fàcil entendre que un dels tòpics més recurrents de la improvisació poètica siga el de l'estima pel territori i el del desig d'emancipació:

> oh, amic meu, honra la teua pàtria i els seus arbres,
> allibera-la i mantin-me aprop d'ella
> obriré un front de batalla pel seu bé
> tancaré un milió de portes sobre la llum que l'envolta
>
> (Sbait 1993: 93)

A hores d'ara la poesia improvisada tradicional palestina s'enfronta a un rival que combat amb armes semblants però amb les formes de l'estètica urbana globalitzada contemporània: el rap. Un estil musical en el qual els joves han trobat un vehicle expressiu per canalitzar la seua ràbia, els seus neguits i les seues aspiracions i que guanya implantació cada dia que passa.

Potser seria un bon fil investigador per estirar: fins a quin punt el rap palestí actual manté algun sistema de vasos comunicants ocults amb la poesia improvisada tradicional. Al capdavall, ara per ara, tots dos gèneres són, d'una manera o altra, mitjans d'afirmació d'identitat i eines esmolades de resistència.

Documents sonors

1. País Valencià – Xiquet de Bétera, «L'u»
Font: 1962, EP, Alhambra, MG60123
Joan Casanoves i Cases (1893-1983) està considerat un dels millors cantadors valencians de tots els temps.

2. País Valencià – «Albaes»
Cantadors: Empar Sanchis i Jacint Hernández *Jacint d'Alcàsser*, Tatiana Prades *Tati de Godella* i Toni Guzman; Josep Aparicio *Apa* i Teresa Segarra.
Versador: Paco Nicasio
Dolçaina: Pau Puig
Font: Cant al Ras, Massalfassar, 28 de maig de 2005

3. País Valencià – Josep Aparicio *Apa,* «U i dos»
Versador: Josemi Sánchez
Font: Torredembarra, 30 de setembre de 2006. Gravació particular cedida per Josep Arroyo.

4. Catalunya – Boca de bou, «Jota»
Francisco Balagué *Boca de bou* (Sant Jaume d'Enveja, 1895-1973)
Font: DD.AA., *Veus i teclats*, HIFE, 2005. Gravació particular cedida per Josep Maria Chavarría.

5. Catalunya – Lo Canalero i la Rondalla Tortosina, «Jota»
Font: *Canalero 4*, K7, 1993, Tram, TRM0031-C

6. Catalunya – Carolino, «Corrandes»
Font: CD *Trobada de Cantadors a Sobremunt. Solc,* 1995, Tram, 0055CD
En el marc de la Trobada de Cantadors del cicle Solc del Lluçanès, el corrandista de Folgueroles Josep Casadevall *Carolino*, va improvisar cinquanta-quatre corrandes referides a la celebració, acompanyat al flabiol de Josep Verdaguer *Roviretes*. Carolino, fins i tot, adaptà la tornada que es sol cantar a Folgueroles. Aquí n'hem triat una mostra representativa.

7. Catalunya – Maria Estadella, «Cançó de Pandero»
Font: Enregistrament realitzat i cedit per Josep Bargalló a la Palma d'Ebre (Ribera d'Ebre) el 1987 i localitzable al fons documental de Carrutxa.

8. Catalunya – Trobada de Cantadors d'Espolla, «Nyacres»
Font: Enregistrament particular
Final de festa de la Trobada de Cantadors d'Espolla 2009 i coronació de Francesc Ribera *Titot* com a Rei de les Nyacres.

9. Mallorca – Mateu Xurí «Glosa»
Font: Gravació particular. Diada de Mallorca, 2012.
Al final del combat presentat per Felip Munar, i on participen també Servereta i Miquel Cano, una persona del públic els recrimina a crits el contingut d'alguna de les gloses —«Avui no m'has agradat, avui hem vingut a riure a sa festa de Mallorca [...] no hem vingut a fer política!»—. Mateu Matas *Xurí* li va contestant en glosa.

10. Mallorca – Joan Planisi, Antoni Socias, Rafel Roig, «Gloses»
Font: I Mostra Autonòmica de Glosats de les Illes Balears celebrada al Teatre Municipal de Manacor el 9 de gener de 1999 i organitzada per l'Associació Cultural Canonge de Santa Cirga.
CD, 1999, Otor Músiques, OTCD002. Cortesia de Felip Munar.

11. Menorca – Miquel Ametler, Pilar Pons, Toni Rotger, «Gloses»
Guitarra: Ismael Pelegrí «Pele»
Font: Cicle Encants. Museu de Belles Arts de Castelló, 19 d'octubre de 2006.
CD, *Encants volum 1. Poesia Oral Improvisada*, 2008, Bureo Músiques, 08BM001. Cortesia de Metrònom i Josemi Sánchez.

12. Andalusia – Miguel García *Candiota* i José Soto, «Trovos»
Guitarra: Antonio García; Violí: Andrés Linares; Violí: Jesús Díaz; Bandúrria: Rogelio Rivas
Font: K7 *El trovo en el Festival musical tradicional de la Alpujarra, 1982-1991*, Centro de Interpretación Musical de Andalucía-Fonoruz, 1993, C-979
Enregistrament en directe realitzat durant la primera edició del festival, celebrada a Yegen el 3 de gener de 1982.

13. Múrcia – Emilio del Carmelo Tomás Loba i Iván López amb la Cuadrilla de Henares «Pascuas»
Font: Joaquín Gris (coor.), *Carreras de bailes y ánimas*, Santa Cruz: Hermandad de Nuestra Señora del Rosario de Santa Cruz, 2012.

Controvèrsia en l'estil de *las Pascuas* del Camp de Lorca, cortesia dels Auroros de Santa Cruz.

14. Múrcia – Manuel Cárceles Caballero *el Patiñero* i Andrés Cegarra *Cayuela el Conejo II*, «Trovos»
Guitarra: Salvador *el Fontanero*, José Bermúdez *el Panadero*
Font: K7 DD.AA., *Trovo*, 1983, Redim
Fragment d'una controvèrsia per malaguenyes entre posicions predeterminades sobre el tema genèric de «la dona» a càrrec de la parella més popular de l'època. El Patiñero ataca el caràcter femení i el Conejo II el defensa.
Cortesia de Emilio del Carmelo Tomàs Loba

15. Sardenya – Antonio Cubeddu i Andrea Ninniri, «Chie salvare: sa mama o s'isposa»
Font: Disc 78rpm, Homochord, Sàsser: 1923. Reproduït a DD.AA. *Identidades de Sardigna*, *In Poesia*, 2003, Frorias Edizioni, CD 2003/2.
Antonio Cubeddu (Ozieri, 1863 - Roma 1955) és un dels poetes sards més importants del segle xx. Ací s'acompanya d'una altre poeta d'anomenada, Andrea Ninniri (Tiesi, 1890-1969) en un enregistrament realitzat a Milà l'any 1923 on, amb l'ajuda d'un cor de *tenore*, improvisaven sobre una sèrie de dilemes habituals en el gènere: pau o guerra, amor o dolor i, en el tall seleccionat, a qui salvarien primer, a la mare (tria de Cubeddu) o la dona (tria de Ninniri).

16. Creta – Giorgos Xylouris, «Kontiliés»
Font: Enregistrament particular. Cortesia de Giorgos Xylouris.
Els músics toquen kontiliés mentre s'improvisen mantinades.

17. Xipre - Dmtris Tziampazis i Elias Hadjimichael, «Tsiattista»
Font: Final del concurs de duels poètics, Festival del Kataklysmos, Larnaka, juny de 2012. Enregistrament particular.

18. Malta – Is Superstar, l-Budaj, l-Kalora i ta'Sika, «Spirtu Pront»
Font: enregistrament particular
Quatre dels *għanneja* més populars participen en aquesta *serata* enregistrada el 1996: Mikiel Cutajar *Is-Superstar* (Żejtun, 1963), Frans Baldacchino *l-Budaj* (Żejtun, 1943-2006), Ninu Galea *l-Kalora* (Naxxar, 1922-2012) i Żeppi Meli *ta' Sika* (Marsa, 1929)

19. Líban - Moussa Zgheib i Zaghloul al Damour, «Zajal»
Font: CD *Festival Al Zajal Al Loubnani, Deir el Kalaa*, s.a., s.r.
Dos dels poetes libanesos més importants del seu temps, s'enfronten en un duel poètic celebrat a Deir el Kalaa l'any 1971.

20. Palestina - Musa al-`Hâfidh, «Mejanah»
Font: *Traditional Music and Songs from Palestine*, 1997, CD, Popular Art Center PAC-1001.
Enregistraments realitzats per Bashar Shammout i Gidi Boss en cooperació amb Westdeutscher Rundfunk, Colònia, Alemània
Musa al-`Hâfidh està considerat un dels millors poetes de la seua generació. Va aprendre els rudiments del gènere del seu pare qui, al seu torn, els havia aprés del seu avi.

MASTERITZAT PER ANDREU LAGUARDA
A MÉSDEMIL ESTUDIS.

Bibliografia

AGAMENNONE, Maurizio (2009): «Considerazioni improvvisate sulla poesia estemporanea» dins BARONTINI, Corrado i NARDINI, Paolo (eds.), *Improvvisar cantando*, pp. 69-80.

ALCOVER, Antoni M. (1962): «En Tià de Sa Real», *Aplec de rondaies mallorquines d'en Jordi d'es Recó,* vol.V, Palma de Mallorca: Moll, pp. 44-78.

— (1972): «En Planiol, es glosador», *Aplec de rondaies mallorquines d'en Jordi d'es Recó,* vol. XXIV, Palma de Mallorca: Moll, pp. 113-115.

ALCOVER, Antoni M. i MOLL, Francesc de B. (1975-1977): *Diccionari català-valencià-balear*, Palma de Mallorca: Moll.

ALZINA, Robert (2011): «Improvisació de tradició oral a Menorca: el glosat» dins Mapasonor (Projecte Oïdes Mediterrànies), *Una persona amb un sac penjant. Viatge per les illes mediterrànies (Creta, Sicília i Balears)*, Calaceit: Caramella, pp. 109-122.

AMADES, Joan (1951): *Costumari català, El curs de l'any*, Barcelona: Salvat.

— (1951) [1982]: *Folklore de Catalunya: Cançoner*. Barcelona: Selecta.

— (1998):«Memòria de les missions de recerca de música instrumental i cançons realitzades per Joan Tomàs i Joan Amades a diversos indrets del 13 de febrer al 29 de maig de 1927 per comanda de l'Obra del «Cançoner Popular de Catalunya»», dins *Obra del Cançoner Popular de Catalunya, Materials*, vol.VIII. A cura de Josep Massot i Muntaner. Barcelona: Publicacions de l'Abadia de Montserrat.

AMADES, Joan i COLOMINES, Josep (1939): *Els goigs. Imatgeria popular catalana*, Barcelona: Orbis.

AMADES, Joan i PUJOL, Francesc (1936). *Diccionari de la dansa, dels entremesos i dels instruments de música i sonadors*, Cançoner Popular de Catalunya, vol.1, Barcelona: Fundació Concepció Rabell i Cibils-Romaguera.

AMAT, Manuel (1933): «Fotomuntatge turístic. D'un muntatge a l'illa de Menorca», *Mir ador*, 227, 8 de juny de 1933, p. 2.

ANCEY, Olivier (2011): «Chjam'è rispondi. Impruvisazione è puesia», dins *Progetto Incontro. Materiali di ricerca e di analisi*, a cura de Duilio Caocci i Ignazio Macchiarella, Nuoro: ISRE, pp. 341-347.

ARAGONÈS, Albert i VIDAL, Joan Francesc (2009): «L'obra musical, folklòrica i literària de Joan Moreira», *Recerca*, 13, pp. 49-86

ARENAS, José, RODRÍGUEZ, Ramón y BERLANGA Miguel A. (1998): *El Trovo de la Subbética*, Sevilla: Consejería de Educación de la Junta de Andalucía.

ARIÑO Antonio i GÓMEZ, Sergi (2012): *La festa mare. Les festes en una era postcristiana,* València: Museu Valencià d'Etnologia.

Armistead, Samuel G. (1994): «La poesia oral improvisada en la tradición hispánica», dins Trapero, Maximiano (ed.): *La décima popular en la tradición hispánica. Actas del Simposio Internacional sobre La Décima*, pp. 41-69.

Ayats, Jaume (2000): «L'espectacle amb indígena. Alguns elements d'ètica en les programacions de música tradicional», *Caramella*, 3, juliol-desembre, pp. 99-100.

— (2005): «Dir de cara al públic. Els cantadors, entre l'escenari i el carrer», *Caramella*, 12, gener-juny, pp. 4-5.

— (2007): *Les chants traditionnels des pays catalans*. Cahiers d'ethnomusicologie régionale, 8. Toulouse: Centre Occitan des Musiques et Danses Traditionnelles Toulouse Midi-Pyrénées.

— (2008): *Cantar al coro, cantar a la fàbrica.* Vic: Eumo.

— (2010): «Cantar allò que no es pot dir. Les cançons de sant Antoni a Artà, Mallorca», *Trans. Revista transcultural de música*, 14, en línia: www.sibetrans. com/trans.

— (2011): «Tradicions altra vegada reinventades i neofolklore», *Caramella*, 25, juliol-desembre, pp. 4-6.

Ayats, Jaume, Orriols, Xavier i Palomar, Salvador (2006): «La cançó» dins Soler i Amigó, Joan (dir.) *Tradicionari. Enciclopèdia de la Cultura Popular de Catalunya*, vol. 6, Música, dansa i teatre popular, Barcelona: Enciclopèdia Catalana.

Ayats, Jaume, Roviró, Ignasi i Roviró, Xavier (1983): *El folklore de Rupit-Pruit*, vol. 1: Cançoner, Vic: Eumo.

Ayensa, Eusebi (1997): «Glosat i 'tsàtisma': una aproximació al fenomen del combat poètic a Xipre i a les Balears», *Randa*, 40, pp. 81-94.

— (2000): *Baladas griegas. Estudio formal, temático y comparativo*, Madrid: CSIC.

Balanzó, Fèlix (1982): *Les Gloses Mallorquines: Estructura i funcions*. 2 vols. Tesi doctoral inèdita, Universitat de Barcelona, Departament de Filologia Catalana.

— (1984): «Lloc i funció de la poesia oral: Contribució al seu estudi lingüístic», *Randa*, 16, pp. 153-170.

Ball, Eric L. (2000): «Negotiating Regional Identity in the 'Literature' of Everyday Life: The Case of a Cretan *Mandinadhologos*», *The Journal of the Hellenic Diaspora*, 26/2, pp. 59-94.

— (2002): «Where Are the Folk? The Cretan 'Mantinada' as Placed Literature», *Journal of Folklore Research*, vol. 39, 2/3, pp. 147-172.

— (2006): «Guarding the Wild: Place, Tradition, Literature, and the Environment in the Work of a Cretan Folk Poet», *The Journal of American Folklore*, vol. 119, 473, pp. 275-300.

BALLAZ, Guillem (2011): «El pandero quadrat està de moda. Posa't al dia en 5 minuts», *Caramella*, 24, gener–juny, pp. 102-106.

BASCOM, William R. (1954): «Four Functions of Folklore», *The Journal of American Folklore,* vol. 67, 266 (oct. – dec.), pp. 333-349

BAUMAN, Richard (1977): *Verbal Art as Performance*, Prospect Heights: Waveland Press.

BAYERRI , Enric (1936-1979): *Refraner català de la comarca de Tortosa,* Tortosa, 4 v.

BAYERRI, Josep (2009): «La jota: de tortosina a ebrenca», *El Punt. Camp de Tarragona*, 14 de juny.

BEC, Pierre (2000): *La joute poétique. De la tensón médiévale aux débats chantes traditionnels*. París: Les Belles Lettres.

BEATON, Roderick (1980): *Folk Poetry in Modern Greece*, Cambridge University Press.

BITHELL, Caroline (2003): «A Man's Game? Engendered Song and the Changing Dynamics of Musical Activity in Corsica», dins Tullia Magrini (ed.), *Music and Gender: Perspectives from the Mediterranean*, Chicago-Londres: The University of Chicago Press.

BLANCO, Domingo (2000): «La poesia oral improvisada en Galicia», dins TRAPERO, Maximiano *et al.* (eds.), *Actas del VI Encuentro-Festival Iberoamericano de la Décima y el Verso Improvisado*, pp. 339-352.

BLASCO, Artur (2002): *A peu pels camins del cançoner*, vol. IV, Les Cobles del Peirot. Cançó de denúncia del centralisme borbónic al Pirineu, s. XVIII, Barcelona: Centre Artesà Tradicionàrius.

BOHIGAS, Pere (1983): *Cançoner popular català*, vol. 1, Barcelona: Publicacions de l'Abadia de Montserrat.

BONMATÍ LIMORTE, Casimiro (2000): «El trobo del Campo de Cartagena», dins TRAPERO, Maximiano *et al.* (eds.), *Actas del VI Encuentro-Festival Iberoamericano de la Décima y el Verso Improvisado*, pp. 371-392.

BRAVI, Paolo (2004): «L'improvvisazione in ottava rima», *La vocalità di tradizione orale oggi*. En línia: http://www.vocideuropa.net/archivio2.asp?cat=2.

— (2009): «La tabula delle rime», dins *Atòbius in poesia - Sardìnnia, Europa, Mundu: mutu, mutetu, dèxima, chjam'è rispondi e rap*, a cura d'Ivo Murgia, Quartu S. Elena: Ed. Comune di Quartu S. Elena – Alfa Editrice, pp. 65-100.

— (2011): «Poesia improvvisata a mutos». Dins *Progetto Incontro. Materiali di ricerca e di analisi*, a cura de Duilio Caocci i Ignazio Macchiarella, Nuoro: ISRE, pp. 198-210.

CAMPS MERCADAL, Francesc (Francesc d'Albranca) (1987): *Cançons populars menorquines*, Ciutadella: Institut Menorquí d'Estudis-Entitat Local d'Es Migjorn Gran.

CAPDEVILA, Joaquim (2008): «Anticlericalisme popular durant les dècades de canvi dels segles XIX i XX. Una aproximació a les arrels socials, mentals i culturals del fenomen. (Aportació d'exemples de la Catalunya occidental)», *Urtx. Revista cultural de l'Urgell*, 22, pp. 292-311.

CAPELLÀ, Pere (2006): *Cartes des de la presó*, Barcelona-Palma: Publicacions de l'Abadia de Montserrat-Universitat de les Illes Balears.

CARAVELI, Anna (1982): «The Song beyond the Song. Aesthetics and Social Interaction in Greek Folksong», *The Journal of American Folklore,* vol. 95, 376, pp. 129-158.

— (1985): «The Symbolic Village: Community Born in Performance», *The Journal of American Folklore*, 98, 389, pp. 259-286.

CARRERA Manel (2010): «Patacades. Ara va de bo senyor rector, ara va de bo... Cadaqués (l'Alt Empordà), Sant Sebastià i Carnaval», *Festes.org, l'espai on comença la festa*. Associació Rebombori Digital. En línia: http://www.festes.org/articles.php?id=1053

CARRERES ZACARÉS, Salvador (1947): «La fiesta de San Dionisio», *Valencia Atracción*, XXII (152), setembre.

CASALONGA, Nicole (2011): «Anghjula Maria Leca, Une grande improvisatrice de Guagnu (Sud de la Corse)», dins *Progetto Incontro. Materiali di ricerca e di analisi,* a cura de Duilio Caocci i Ignazio Macchiarella, Nuoro: ISRE, pp. 387-391.

CASALONGA, Toni (2005): «Demana i respon *(chjama è rispondi)*», dins MUNAR, Felip (ed.), *Formes d'expressió oral*, pp. 91-100.

CASALS, Albert (2009): *La cançó amb text improvisat: Disseny i experimentació d'una proposta interdisciplinària per a Primària.* Tesi doctoral. Departament de Didàctica de l'Expressió Musical, Plàstica i Corporal – UAB.

— (coor.) (2010): *Corrandescola: Proposta didàctica per treballar la glosa a Primària.* Cerdanyola del Vallès: ICE-UAB.

— (2012): «'Corrandescola': del cant a la improvisació poètica», *Temps d'Educació*, 42, pp. 111-130.

CASALS, Albert, AYATS, Jaume i VILAR, Mercé (2010): «Improvised Song in Schools: Breaking Away from the Perception of Traditional Song as Infantile by Introducing a Traditional Adult Practice», *Oral Tradition*, 25(2), pp. 365-380. En línia: http://journal.oraltradition.org/issues/25ii/casals

CASSAR-PULLICINO, J. I CAMILLERI, CH. (1998): *Maltese Oral Poetry and Folk Music*, Malta: Malta University Press.

CASTELLANOS, Eva, MARTÍ, Cinta, QUERALT, M. Carme, SALVADÓ, Roc i VIDAL, Joan Francesc (2010): «La jota improvisada cantada a les terres de l'Ebre», *Revista d'Etnologia de Catalunya*, 35, pp. 217-220.

— (2011): «La jota improvisada a les terres de l'Ebre», *Caramella*, 24, gener-juny, pp. 4-7.

CECCARINI, Gianluca (2005): «La tradizione del *cantar l'ottava* in Maremma e il Poeta *a braccio* tarquiniese Riccardo Colotti», *Bolletino Società Tarquiniense D'Arte e Storia*, 34, pp. 255-280.

CERDÀ, Paco i MASCARELL, Purificació (2012): *El cant socarrat. Les albaes de Xàtiva*. Fotografies de Pedro Talens. Ontinyent: Caixa d'Estalvis d'Ontinyent.

CERVANTES, Miguel de (1994): *Galatea. Novelas Ejemplares. Persiles y Segismunda. Obra Completa II*, edició de Florencio Sevilla y Antonio Rey. Alcalá de Henares: Centro de Estudios Cervantinos.

CHANTECLER (1910): «El garrotín», *La Esquella de la Torratxa*, 1638, 20 de maig, 314-315.

CHECA, Francisco (1996): «El trovo alpujarreño. De lo lírico a lo satírico», en *Gazeta de Antropología*, 12, pp. 65-74.

CHIRCOP, John (1993): «Oral Tradition and Historical Source: The Maltese Ghanejja», *Oral History*, vol. 21, 1, pp. 63-67.

CHRISTIAN JR., WILLIAM A. (2000): «Verso improvisado en las montañas occidentales de Cantabria» dins TRAPERO, Maximiano *et al.* (eds.), *Actas del VI Encuentro-Festival Iberoamericano de la Décima y el Verso Improvisado*, pp. 403-417.

CIANTAR, Philip (2000): «From the Bar to the Stage: Socio-musical Processes in the Maltese Spirtu Pront», *Journal of Musical Anthropology of the Mediterranean*, 5, en línia: http://www.umbc.edu/MA/index/number5/ciantar/cia_0.htm.

CLEMENTE, Pietro (2009): «Due anime della poesia», dins BARONTINI, Corrado i NARDINI, Paolo (eds.), *Improvvisar cantando*, pp. 25-45.

COLLADO I ÀLVEZ, Josep Antoni (1997): «Estudi del cant d'estil en l'actualitat» dins *El món del cant*, addenda a l'*Antologia del cant valencià d'estil* (1915-1996), València: Generalitat Valenciana, Conselleria de Cultural, Educació i Ciència – Editorial la Máscara (Fonoteca de materials, vols. XXV i XXVI), pp. 36-68 i 72.

COMAS, Antoni (1985): «Els Gèneres populars i tradicionals: Corrandes i cançons de pandero» dins *Història Literatura Catalana. Part Moderna*. Barcelona: Ariel, vol. 5, pp. 395-421.

CONTRERAS OYARZÚN, Constantino (2000): «El arte tradicional de la dècima. Raiz hispana y fronda chilena», dins TRAPERO, Maximiano *et al.* (eds.), *Actas del VI Encuentro-Festival Iberoamericano de la Décima y el Verso Improvisado*, pp. 189-200.

COR DE CARXOFA (2008): *Manual d'iniciació a la glosa*. Barcelona: Associació Cor de Carxofa.

CRESPÍ I COLL, Guillem *Es Panderer* (1996): *Gloses*, Santa Margalida: Obra Cultural Balear.

CRIADO, José (1996): *De trovo con «Candiota» (1985-1987)*, El Ejido: Imprenta Escobar.

— «Origen del trovo alpujarreño», dins Torres Cortés, Norberto (coor.), *Los Cantes y el flamenco de Almería : I Congreso Provincial : Baños de Sierra Alhamilla 5, 6 y 7 de Agosto de 1994, Pechina (Almería)* pp. 57-72.

— (1999) *Hombres de versos. Aproximación histórica a una forma de flamenco primitiva: el trovo de la Alpujarra*, Almería: Instituto de Estudios Almerienses - Diputación de Almería.

CRIADO, José i RAMOS, Francisco (coor.) (1992): *El trovo en el Festival de Música Tradicional de la Alpujarra (1982-1991)*, Granada: Centro de Documentación Musical de Andalucía.

CURCÓ, Jordi (2005): «A la vera, vera, vera... de Lleida. Joan Rodés, el Marqués de Pota, màxim representant del garrotín», *Caramella*, 12, gener-juny, pp. 24-26.

DD.AA. (2005): *Veus i teclats*, Tortosa: HIFE S.A.

DEL CAMPO TEJEDOR, Alberto (2006): *Trovadores de repente. Una etnografía de la tradición burlesca en los improvisadores de la Alpujarra*. Salamanca: Centro de Cultura Tradicional Ángel Carril – Diputación Provincial de Salamanca.

DEMETRIOU, Nicoletta (2013): «Kyriakou Pelagia. The Housewife/Granmother star of Cyprus» dins Heller, Ruth (ed.), *Women singers in global contexts. Music, Biography, Identity*, Champaign: University of Illinois Press.

DE SINEU, Vives (2004): «Carolino. Jo tampoc en sé, de cantar», *Folc*, 17, maig-juny, p. 46.

DÍAZ MARTÍNEZ, Luís (1972): *Vida del trovero Castillo*. Mojácar: edició de l'autor.

— (1976): *Marín-Castillo-«El Minero». Los tres puntales del trovo*. Edició de l'autor. Múrcia.

Díaz G. Viana, Luis (2007): «Reflexiones antropológicas sobre el arte de la palabra: folklore, literatura y oralidad», *Signa*, 16, pp. 17-33.

Díaz Pimienta, Alexis (1998): *Teoría de la improvisación. Primeras páginas para el estudio del repentismo*, Oiartzun: Sendoa.

— (2003): «Sobre la dinámica interna de la improvisación poética», dins *Encuentro sobre la improvisación oral en el mundo. (Donostia, 2003-11-3/8)*. Donostia: Euskal Herriko Bertsozale Elkartea, pp. 60-104.

— (2000): «Aproximaciones a una possible 'gramática generativa' de la dècima improvisada», dins Trapero, Maximiano *et al.* (eds.), *Actas del VI Encuentro-Festival Iberoamericano de la Décima y el Verso Improvisado*, pp. 201-214.

— (2005): «Para un estudio diacrónico del repentismo en Cuba. Generaciones y promociones en el siglo xx», dins Munar, Felip (ed.), *Formes d'expressió oral*, pp. 64-81.

— (2013): *Teoría de la improvisación poética*. 3ª ed. ampliada i revisada, Scripta Manent.

Dorra, Raúl (1997): *Entre la voz y la letra*, Puebla: Plaza y Valdés.

Dubuisson, Eva-Marie (2009): *The value of a voice: culture and critique in kazakh aitys poetry*, Tesi Doctoral Inèdita, Universitat de Michigan.

Duran, Bàrbara (2009): «De matances i de salers. Els temps passats i el que en perdurarà», dins *El Patrimoni Cultural de Manacor. V Jornades d'Estudis Locals de Manacor*, Manacor.

Falcó, Anaís (2011): *Patacades, parenostres i sardanes. Documentació i anàlisi de la Festa de Sant Sebastià de Cadaqués*. Projecte Final d'Etnomusicologia. Escola Superior de Música de Catalunya.

— (2014): «El basilisc de música i festa: El cas de Sant Sebastià a Cadaqués», *Caramella*, 30, gener-juny, pp. 86-88.

Feliu, Maria i Villaró, Albert (2012): *Les cobles del Peirot. Un fil entre el passat i el present*, Institut per al Desenvolupament i la Promoció de l'Alt Pirineu i Aran, Edicions Salòria i Garsineu Edicions.

Ferrà-Ponç, Damià (1972): «Els glosadors de Campanet», *Lluc*, LII, pp. 126-129.

Ferré Pavia, Carme (2004): «*Cantadors de l'Ebre*. La jota improvisada en el Baix Ebre i el Montsià», dins *Encuentro sobre la improvisación oral en el mundo. (Donostia, 2003-11-3/8)*. Donostia: Euskal Herriko Bertsozale Elkartea, pp. 38-45.

Finnegan, Ruth (1992): *Oral Poetry. Its nature, significance and social context*, Bloomington-Indianapolis: Indiana University Press.

— (2003): «Oral Tradition: Weasel Words or Transdisciplinary Door to Multi-plexity?», *Oral Tradition*, 18, pp. 84-86.

FISCHER, Charles August (2012): *Quadre de València*, València: Universitat de València.

FLORES ARROYUELO, Francisco J. i TOMÁS LOBA, Emilio del Carmelo (ed.) (2009): *Manuel Cárceles Caballero «El Patiñero»*, Múrcia: Ayuntamiento de Murcia, Cajamurcia.

FLORES ARROYUELO, Francisco J.; DÍAZ GARCÍA, María José i LUENGO LÓ-PEZ, Miguel (1986): *El último huertano*. Múrcia: Ediciones Mediterráneo.

FLORES I ABAT, Lluís-Xavier (2005): «El folklore musical de l'Horta d'Oriola», *Revista Valenciana de Folklore*, 6, pp. 145-244.

FOLEY, John Miles (2002): *How to Read an Oral Poem*, Champaign: University of Illinois Press.

FRANCESCHINI, Fabrizio (1997): «Come improvvisano gli improvvisatori: ot-tave libere e incatenate nei contrasti», dins Nardini, Palolo (a cura de), *L'Arte del dire. Atti del convegno sull'improvvisazione poetica, Grosseto 14-15 marzo 1997*, Grosseto: Archivio delle tradizioni popolari della Maremma grossetana, pp. 51-60.

FRECHINA, Josep Vicent (1999): «El cant d'estil valencià», *Caramella*, 1, pp. 49-52.

— (2001): «El cançoneret de Rafelbunyol aplegat per Sanchis Guarner», *La Roda del Temps*, 10, pp. 35-47.

— (2004): *Vicent Peris Pastor, el Xiquet de Paterna (1904-1939)*, Cant al Ras. VIII Encontre de Cant Rural. Massalfassar, 29 de maig de 2004, Massalfassar: Colla de Dimonis de Massalfassar-Associació Cultural Tramús.

— (2005) «El 'cant d'estil' valenciano», *Etno-folk. Revista galega d'etnomuxicologia*, 3, novembre.

— (2007): «Carles A. Juste lo Beethoven. Nits de rumba i garrotín», *Caramella*, 17, gener-juny, pp. 52-57.

— (2008): «Si no t'agrà li cantes una albà», *Caramella*, 19, juliol-desembre, pp. 48-52.

— (2009a): «Cant valencià d'estil. Un patrimoni revaloritzat», *Sons de la Medi-terrània*, 10, maig-juny, pp. 34-39.

— (2009b): «El Cant Improvisat: Una tradició que renaix». *Descobrir Catalunya*, febrer 2009, pp. 118-125.

— (2011a): «Apa. L'ofici de cantaor», *Caramella*, 24, gener-juny, pp. 82-85.

— (2011b): «La música de quan nosaltres érem nosaltres. El folk com a neofol-klorisme», *Caramella*, 25, juliol-desembre, pp 38-41.

— (2011c): *La cançó en valencià. Dels repertoris tradicionals als gèneres moderns*, València: Acadèmia Valenciana de la Llengua.

— (2012): «Competint a veus. La *gara a chiterra* a Sardenya», *Caramella*, 26, gener-juny, pp. 94-99.

— (2013): «Mateu Xurí. Mestre de la paraula», *Caramella*, 28, gener-juny, pp. 66-69.

— (2014): «El * għana* maltes. Cantar mentre es negocia la identitat», *Caramella*, 30, gener-juny, pp, 114-120.

FSADNI, Ranier (1993): «The Wounding Song: Honour, Politics, and Rhetoric in Maltese Għana», *Journal of Mediterranean Studies,* 3(2), pp. 335-353.

FUSTER, Joan (1958): «Letra y música para el folklore», *Jornada*, 19-04-1958.

— (1979): «Un altre apunt sobre el folklore», *Que y donde*, 71, 23/29-07-1979.

— (1982): «Etnografia i folklore», *Que y donde*, 245, 22-11-1982.

GALEOTE, Manuel (2005a): *El Carpintero. Un maestro andaluz de la poesía improvisada*, Màlaga: Diputación Provincial.

— (2005b): «Figuras de la poesía improvisada en Andalucía 'El Carpintero'», *Analecta Malacitana* (AnMal electrónica), 17, en línia: http://www.anmal.uma.es/numero17/Galeote.htm

GARCÍA GÓMEZ, Génesis (2004): «Sociología del trovo cartagenero», *Revista Murciana de Antropología*, 11, pp. 23-43.

GARZIA, Joxerra (2000): «Texto, contexto y situación en la poètica de los bertsolaris» dins TRAPERO, Maximiano *et al.* (eds.), *Actas del VI Encuentro-Festival Iberoamericano de la Décima y el Verso Improvisado*, pp. 427-437 .

— (2005): «La improvisación oral basca: *bertsolaris* en el siglo XXI», dins MUNAR, Felip (ed.), *Formes d'expressió oral*, pp. 49-59.

GARZIA, Joxerra, SARASUA, Jon i EGAÑA, Andoni (2001): *El arte del bertsolarismo. Realidades y claves para la improvisación oral vasca*. Donostia: Bertsolari Liburuak.

GAYA, Artur (2011): «La jota. Crònica d'un temps», *Caramella*, 24, gener-juny, pp. 62-63.

— (2011): «Lo Teixidor. L'últim adéu a una altra manera viure», *Caramella*, 25, juliol-desembre, pp. 76-77.

GELABERT, M. Magdalena (1987): «Antoni M. Alcover i els glosadors: la recerca de la glosa com a element caracteritzador de la insularitat», dins ARMANGUÉ, Joan i VALRIU, Caterina, *Illes i insularitat en el folklore dels Països Catalans*, Càller: Arxiu de Tradicions de l'Alguer, pp. 93-108.

GINARD BAUÇÀ, Rafael (1960): *El cançoner popular de Mallorca*, Palma: Moll.

— (1966-1975): *Cançoner popular de Mallorca*, Mallorca: Moll, 4 vols.

GRFO = Grup de Recerca Folklòrica d'Osona (1994): *Cançons i tonades tradicionals de la comarca d'Osona*, Barcelona: CPCPTC, Generalitat de Catalunya, Departament de Cultura. CD.

Gris Martínez, Joaquín (coor.) (2010): *Memorial del trovero Juan Rita*, Múrcia: Comunidad Autónoma de la Región de Murcia.

— (coor.) (2012): *Los amigos de Juan Rita*, Santa Cruz: Hermandad de Nuestra Señora del Rosario.

— (coor.), Tomás, Emilio del Carmelo i Tomàs, José Néstor (2011): *Pascuas y aguilandos*, Santa Cruz: Hermandad Señora del Rosario.

— (coor.) (2012): *Carreras y bailes de ánimas*, Santa Cruz: Hermandad Señora del Rosario.

Guzman Madrigal, Antoni (2007): *Música y tradición en Énguera y la Canal*, València: Aula de Cultura Tradicional Valenciana, Universitat Politècnica de València.

Haydar, Adnan (1989): «The Development of Lebanese *Zajal*: Genre, Meter, and Verbal Duel», *Oral Tradition*, 4/1-2, pp. 189-212.

Herndon, Marcia i McLeod, Norma (1975): «The Bormliza: Maltese Folksong Style and Women», *The Journal of American Folklore*, 88(347), pp. 81-100.

— (1980). «The Interrelationship of Style and Occasion In the Maltese Spirtu Pront.» dins Herndon, Marcia i McLeod, Norma (eds.), *The Ethnography of Musical Performance*, Norwood: Norwood Editions, pp. 147-166.

— (1980): *Music as culture*, Darby Pa.: Norwood Editions.

Herzfeld, Michael (1985): *The Poetics of Manhood. Contest and Identity in a Cretan Mountain Village*, Princeton: Princeton University Press.

— (1986): *Ours Once More: Folklore, Ideology and the Making of Modern Greece*, New York: Pella.

Irving, Washington (1996): *Cuentos de la Alhambra*, Madrid: Espasa-Calpe.

Jakobson, Roman (1977): «El folklore como forma específica de creación», dins *Ensayos de poètica*, Madrid: FCE, pp. 7-22.

Janer Manila, Gabriel (1980): *Sexe i cultura a Mallorca: el cançoner*, Palma: Moll.

— (1987): «El teu glosar no m'espanta», *Lluc*, maig-juny, 738, pp. 3-4.

— (1995): *Les cançons eròtiques del camp de Mallorca*, Palma: R. i J.J. de Olañeta, editors.

Jiménez de Báez, Ivette (2000): «Tradicionalidad y escritura en las décimas de México y otros paises hispanoamericanos», dins Trapero, Maximiano et al. (eds.), *Actas del VI Encuentro-Festival Iberoamericano de la Décima y el Verso Improvisado*, pp. 59-72.

JUSTE, Carles i JUSTE, Santiago (2004): *Lo cançoner de Lleida*, Lleida: Impremta Provincial.

KEZICH, Giovanni (1986): *I poeti contadini*, Roma: Bulzoni.

LABRADOR HERRAIZ, J.J. (1974): *Poesia dialogada medieval. La «pregunta» en el Cancionero de Baena, Estudio y Antología*. Madrid: Ediciones Maisal.

LACROIX Marie-Hortense (2004): «Un éclairage hypothétique sur certaines formes vocales traditionnelles: l'improvisation poétique en temps mesuré», *Cahiers d'ethnomusicologie*, 17, pp. 89-117. En línia: http://ethnomusicologie.revues.org/420

LARRAÑAGA ODRIOZOLA, Carmen (1997) «Del bertsolarismo silenciado», *Jentilbaratz*, 6, pp. 57-73.

LIERN, Vicent (2004): «Música i Matemàtiques: història d'una relació», ponència presentada al *I Congreso de Arte y Matemáticas*.

LIMA, Paulo (2005): «*L'improviso* a Portugal», dins MUNAR, Felip (ed.), *Formes d'expressió oral*, pp. 101-104.

LISÓN TOLOSANA, Carmelo (1980): «Prólogo», dins SERRANO SEGOVIA, Sebastián, *Marín, rey del trovo*, Madrid: Ministeri del Cultura.

LLEDÓ, Margarida (1987): «Joana Serra «Cartera», glosadora de Búger», *Lluc*, maig-juny, 738, pp. 23-25.

LLOMBART, Constantí (1883): *Los fills de la morta-viva. Apunts bio-bibliogràfics per a la Historia del renaixement lliterari llemosí en Valencia*, València: Emprenta d'Emili Pasqual.

LLOYD, A. L. (1975): *Folk song in England*, London: Paladin.

LÓPEZ CASASNOVA, Joan F. (2005): «Algunas consideraciones sobre la letra de las canciones populares menorquinas», *Narria: Estudios de artes y costumbres populares*, 109-112, pp. 51-58.

— (2007): «Poesia popular: els glosadors a Menorca», *Anuari Verdaguer*, 15, pp. 373-407.

LÓPEZ MARTÍNEZ, Pedro (2006): *Compendio y anàlisis de la letra minera en la comarca de Cartagena-La Unión*, Murcia: Universidad, Servicio de Publicaciones.

LORD, Albert B. (1960): *The Singer of Tales*, Cambridge: Harvard University Press.

LORTAT-JACOB, Bernard (1995): *Sardinian Chronicles*, Chicago i Londres: The University of Chicago Press.

LUENGO LÓPEZ, Miguel (1984): *José Travel Montoya. El Repuntín. Trovero*, Múrcia: Ediciones Mediterráneo.

— (ed.) (2003): *José Travel Montoya. El Repuntín en Trovos y Glosas*, Múrcia: Ediciones Mediterráneo.

LUTZU, Marco (2011): «La repentina», *Progetto Incontro. Materiali di ricerca e di analisi*, a cura de Duilio Caocci i Ignazio Macchiarella, Nuoro: ISRE, pp. 190-197.

MACCHIARELLA, Ignazio (2003): *Voces de Italia*, Madrid: Akal.

MAIDEU I AUGUET, Josep (1949): *Cancionero Popular Español / Lema: / 'Gotxaires' y 'Caramellaires'*, Manuscrit. CSIC. En línia: http://musicatradicional. eu/ca/node/90.

MAPASONOR (PROJECTE OÏDES MEDITERRÀNIES) (2011): *Una persona amb un sac penjant. Viatge per les illes mediterrànies (Creta, Sicília i Balears)*, Calaceit: Caramella.

MANZANARES, Luís (1966): *Torre Pacheco. Gregorio Madrid (El trovero, nace). Biografía resumida*, Madrid: Edició de l'autor.

MARÍ *PALERMET*, Vicent (2000): «Cançó pagesa a les Pitiüses», *Caramella*, 2, gener–juny, pp. 58-60.

MARTÍ, Josep (2002): «Hybridization and its Meanings in the Catalan Musical Tradition.», dins STEINGRESS, Gerhard (ed.), *Songs of the Minotaur: Hybridity and Popular Music in the Era of Globalization*. Münster: LIT-Verlag. pp. 113-138.

MARTÍ MESTRE, Joaquim (1996): *Col·loquis eròtico-burlescos del segle XVIII*, València: Edicions Alfons el Magnànim.

— (2008): *Els col·loquis valencians atribuïts a Carles Leon*, Paiporta: Denes.

MARTÍNEZ PELEGRÍN, José (1976): *Loli la de los Parises. Unica trovera*, Múrcia.

MARZAL BARBERÀ, Manuel, El Xiquet de Mislata (2009): *Materials inèdits per a una antologia del cant valencià*. Estudi preliminar, edició crítica, addicions biogràfiques i notes a cura de Carles A. PITARCH ALFONSO. València: Museu Valencià d'Etnologia.

MAS I FORNERS, Antoni (s.a.): *La societat i la política vistes pels glosadors de Santa Margalida (darreries del segle XIX/1945)*, en línia: http://www.espanderer. com/la_societat_i_la_politica_vistes_pels_glosadors_de.html.

MAS I VIVES, Joan (1995): *Josep de Togores i Sanglada, comte d'Aiamans. Poesies*. Barcelona: Curial-Publicacions de l'Abadia de Montserrat.

MASSOT I MUNTANER (1993): *Inventari de l'Arxiu de l'Obra del Cançoner Popular de Catalunya*, Materials, vol. IV, fascicle I, Barcelona: Publicacions de l'Abadia de Montserrat.

MATHIAS, Elizabeth (1976): «La Gara Poetica: Sardinian Shepherds' Verbal Dueling and the Expression of Male Values in an Agro-Pastoral Society», *Ethos*, 4, pp. 483–507.

MENÉNDEZ PIDAL, Ramón (1965-1966): «Los cantos épicos yugoslavos y los occidentales. El Mío Cid y dos refundidores primitivos», *Boletín de la Real Academia de Buenas Letras de Barcelona*, 31, pp. 195-225.

MERIMÉE, Prosper (1988): *Viajes a España*, Madrid: Aguilar

MIFSUD-CHIRCOP, George (2005): «El *għana*, cançó popular maltesa. La música popular dels maltesos», dins MUNAR, Felip (ed.), *Formes d'expressió oral*, pp. 82-90.

MILÀ I FONTANALS, Manuel (1853): *Observaciones sobre la Poesía popular, con muestras de romances catalanes inéditos*, Barcelona: Imprenta de Narciso Ramírez.

MIRALLES I MONTSERRAT, Joan (1996): «Els glosadors» dins *Onomàstica i Literatura*. Palma-Barcelona: Universitat de les Illes Balears-Publicacions de l'Abadia de Montserrat, pp. 47-98.

— (2007): *Antologia de textos de les Illes Balears.* Vol. III. Segle XIX Primera Part. Barcelona: Institut d'Estudis Baleàrics-Publicacions de l'Abadia de Montserrat.

MIRÓ I BALDRICH, Ramon (1999): «Joglars i músics a Cervera del segle XIV a mitjan XVIII», *Miscel·lània Cerverina*, 13, pp. 29-95.

MOLL, Antònia i MOLL, Xavier (2001): «La música popular a l'illa de Menorca», dins AVIÑOA, Xosé (dir.), *Història de la Música Catalana, Valenciana i Balear, vol. VI, Música popular i tradicional*. Barcelona: Edicions 62.

MONTSERRAT, Guillem (1987): «Sebastià Vidal «Sostre»», *Lluc*, maig-juny, 738, pp. 16-19.

MORLÀ, Pere Jacint (1995): *Poesies i col·loquis*, València: Alfons el Magnànim.

MOUZO PAGÁN, Rogelio (1996): *El Minero. Manuel García Tortosa*, Múrcia: Comunidad Autónoma de Murcia-Ayuntamiento de la Unión.

MUGNAINI, Fabio (2009): «Improvvisazione, tradizione e patrimonio», dins BARONTINI, Corrado i NARDINI, Paolo (eds.), *Improvvisar cantando*, pp. 49-68.

MUNAR, Felip (2001): *Manual del bon glosador: Tècniques, exercicis i glosades*. Palma de Mallorca: Documenta Balear.

— (2004): «La improvisación oral en las Illes Balears, Catalunya y el País Valencià: Un reto de futuro», dins *Encuentro sobre la improvisación oral en el mundo. (Donostia, 2003-11-3/8)*. Donostia: Euskal Herriko Bertsozale Elkartea, pp. 257-263.

— (ed.) (2005a): *Formes d'expressió oral*. Manacor: Consell Insular de Mallorca.

— (2005b): «Les mostres internacionals d'improvisadors. Per bon camí», *Caramella*, 13, pp. 60-62.

— (2008): *Jo vull ésser glossador*, Palma de Mallorca: Documenta Balear.

— (2009): «El món de la improvisació a Mallorca» dins ARMANGUÉ, Joan i VALRIU, Caterina, *Illes i insularitat en el folklore dels Països Catalans*, Càller: Arxiu de Tradicions de l'Alguer, pp. 127-146.

NAVARRO TOMÁS, Tomás (1974): *Manual de entonación espanyola*, Madrid: Guadarrama.

NOGUERA, Antoni (1893) [2005]: *Memoria sobre los cantos, bailes y tocatas populares de la Isla de Mallorca*, Mallorca: Conservatori Superior de les Illes Balears-Editorial Piles. Edició facsímil.

OLIVER, Gabriel (1982): *Un glosador: En Llorenç Capellà*, tesi de llicenciatura inèdita, Universitat de Barcelona, Departament de Filologia Catalana.

OLLÉ, Sisco (2005): «Josep Garcia Sanz *Lo Canalero*», *Caramella*, 12, gener-juny, pp. 6-9.

OLLER, Maria Teresa (1951): *Danzas y canciones danzadas*, Cuadernos de Música Folklórica Valenciana, 2, València: Institut Valencià de Musicologia, Institució Alfons el Magnànim, Diputació Provincial de València.

ORIOL, Carme (2002): *Introducció a l'etnopoètica: Teoria i formes del folklore en la cultura catalana.* Valls: Cossetània.

ORTA RUIZ, *INDIO NABORÍ*, Jesús (2000): «Autobiografia de un improvisador» dins TRAPERO, Maximiano *et al.* (eds.), *Actas del VI Encuentro-Festival Iberoamericano de la Décima y el Verso Improvisado*, pp. 27-35.

OTALORA TUDELA, Juan Francisco (1993): *Juan Tudela Piernas. Tío Juan Rita. Poesía popular.* Totana.

PAGÈS, Amadeu (1911-12): «Deux chansons populaires d'Urgell», *Institut d'Estudis Catalans: Anuari*, IV, pp. 568-274.

PAGLIAI, Valentina (2009): «The Art of Dueling with Words: Toward a New Understanding of Verbal Duels across the World», *Oral Tradition*, 24, 1, pp. 61-88.

— (2010): «Conflict, Cooperation, and Facework in Contrasto Verbal Duels: Conflict, Cooperation and Facework in Contrasto Verbal Duels», *Journal of Linguistic Anthropology*, vol. 20, 1, pp. 87-100.

PALOMAR I ABADIA, Salvador (1990): *Les majorales del Roser d'Ulldemolins.* Reus: Carrutxa.

— (1995): «La confraria del Roser a Albarca», *La Carxana*, 1, estiu.

— (2004): «Les cançons de pandero. Música i ritual», *Caramella*, 10, gener-juny, pp. 21-26.

— (2011): «Notes sobre la jota a la Catalunya Nova», *Caramella*, 24, gener-juny, pp. 18-22.

PARDO, Fermín i JESÚS-MARÍA, Jose Àngel (2001): *La música popular en la tradició valenciana*. València: Institut Valencià de la Música.

PEDROSA, José Manuel (2000a): «Historia e historias de la canción improvisada (De los misterios de Eulisis y Las mil y una noches al gaucho Santos Vega)», dins TRAPERO, Maximiano *et al.* (eds.), *Actas del VI Encuentro-Festival Iberoamericano de la Décima y el Verso Improvisado*, pp. 95-108.

— (2000b): «La poesía improvisada en la tradición vasca y en la universal» dins *Antonio Zavalaren ohoretan*, Bilbao: Deusto Unibertsitatea, pp. 49-68.

PITARCH, Carles (1997a): «En torno al Cant valencià d'estil: Investigaciones y proyectos». *Revista Trans-cultural de música (Trans Iberia)*, I.

— (1997b): *El cant valencià d'estil: una aproximació conceptual i històrica des de l'etnomusicologia*, Aldaia: Associació de Música Tradicional d'Aldaia.

— (1997c): «El cant valencià d'estil: Apunts per a un estudi conceptual i històric», dins *El món del cant*, addenda a l'*Antologia del cant valencià d'estil* (1915-1996), València: Generalitat Valenciana, Conselleria de Cultural, Educació i Ciència – Editorial la Màscara (Fonoteca de materials, vols. XXV i XXVI), pp. 3-35 i 69-72.

— (2009): «Estudi preliminar» dins MARZAL BARBERÀ, Manuel, *El Xiquet de Mislata* (2009): *Materials inèdits per a una antologia del cant valencià*. València: Museu Valencià d'Etnologia, pp. 21-67.

— (2010): «Cant d'estil al Puig de Sant Maria», llibret del CD Milio del Puig, Victorieta, Flores, *Cant d'estil al Puig de Santa Maria*, Associació d'Estudis del Cant València, AECVCD01-2010.

POITEVIN, G. (2002): *L'orature n'est pas la littérature: Rethoriques emmêlées*. Pune (India): Centre for Cooperative Research in Social Sciences. En línia: aune.lpl.univ-aix.fr/~belbernard/misc/ccrss//orature.htm

PONS, Llúcia (2003): «Va de glosat», *Caramella*, 8, gener-juny, pp. 48-52.

— (2005): «Miquel Ametller, «mestre» de glosadors», *Caramella*, 12, gener-juny, pp. 10-15.

PONS, Sílvia i BARBER, Cristòfol (2012): *Es Mercadal en glosa. L'art de fer versos al centre de l'illa*, Es Mercadal: Xerra i Xala.

PRAT FERRER, Juan José (2007): «Las culturas subalternas y el concepto de oratura», *Revista de Folklore*, 316, pp. 111-119.

PUJOL, Marina (1998): «El bressol de la rumba catalana», *Descobrir Catalunya*, 13, setembre, pp. 94-95.

PUNTÍ i COLELL, Joan (1993): *Ideari cançonístic Aguiló*, Barcelona: Publicacions de l'Abadia de Montserrat.

QUERALT, M. Carme (2011): «Lo Ratat de Boca de bou. Un dels grans cantadors de jota improvisada», *Caramella*, 24, gener-juny, pp. 8-10.

RADCLIFFE-BROWN, Alfred R. (1952): *Structure and Function in Primitive Society*, Londres: Cohen & West.

REIG BRAVO, Jordi (1997): «Anàlisi musicològica del cant d'estil» , dins *Antologia del cant valencià d'estil* (1915-1996), València: Generalitat Valenciana, Conselleria de Cultural, Educació i Ciència – Editorial la Máscara (Fonoteca de materials, vols. XXV i XXVI).

— (2011): *La música tradicional valenciana. Una aproximació etnomusicològica*, València: Institut Valencià de la Música.

REINHARD, Ursula (1993): *Song creators in Eastern Turkey*. Washington DC: Smithsonian Folkways. CD.

RIERA, Ferran (2009): «Cançons que fugen. III Trobada de Transglosadors», *Sons de la Mediterrània*, 8, gener-febrer, pp. 40-47.

ROCA, Ángel (1971): *El Trovero Marín*, Murcia: Athenas Ediciones.

— (1976): *Historia del trovo, Cartagena-La Unión (1865-1975)*, Cartagena: Molegar.

— (2002): *Historia del trovo: desde sus orígenes mineros a la actualidad (1865-2002)*, Múrcia: KR.

ROSELL, A. (2006). «Oralidad y recursos orales en la lírica trovadoresca: texto y melodía. La `oralidad´, un paradigma eficiente». En *La voz y la memoria. Palabras y mensajes en la tradición hispánica*, 35-65. Valladolid: Fundación-Centro Etnográfico Joaquín Díaz de la Diputación de Valladolid-Junta de Castilla y León.

ROSELLÓ, R. (1982): *Menorca davant la Inquisició*, Maó: CIM – Ed. Menorca.

ROSSE, Elisabeth (2009): «Ottava di scena, ottava di tavola. Legami tra modo di cantare e modo di essere» dins BARONTINI, Corrado i NARDINI, Paolo (eds.), *Improvvisar cantando*, pp. 105-112.

ROVIRA, Joan-Josep (2002): *Cantadors del Delta. Teixidor, Lo Noro, Caragol*. Tortosa: Cinctorres Club.

ROVIRÓ, Xavier (2005): «El corrandista Josep Casadevall i Sangles, *Carolino*», *Caramella*, 12, gener-juny, pp. 16-20.

— (2010): «Les corrandes de camalleres. Cançons improvisades d'humor, sàtira i crítica», *Caramella*, 23, gener-juny, 124-127.

RUIZ, María Jesús (2000): «Poesía e improvisación en el folclore del Campo de Gibraltar», dins TRAPERO, Maximiano *et al.* (eds.), *Actas del VI Encuentro-Festival Iberoamericano de la Décima y el Verso Improvisado*, pp. 457-471.

RULLAN, Josep (1875): «Glosadors» dins *Almanaque Balear para el año 1876*, Palma, Imp. de Pedro José Gelabert, pp. 51-55.

RULLAN, Josep (1900): *Literatura popular mallorquina*, 3 vols., Sóller: La Sinceridad.

SAAVEDRA MOLINA, Julio (1945): *El octosílabo castellano,* Santiago de Chile: Prensas de la Universidad de Chile.

SALVÀ BALLESTER, A (1960): *La villa de Callosa de Ensarriá. Monografia histórica documentada*, I i II, Alacant: Diputació d'Alacant.

SAMPER LÓPEZ, Josefina (2000): «Los populares aguilandos de Callosa de Segura», *Revista Valenciana de Folklore*, 1, pp. 57-60.

SÁNCHEZ, Josemi i CARBALLO, Trini (2006): *Pensaments casolans. Recull de versos inspirats en temes quotidians*, Picassent.

SÁNCHEZ CONESA, José (2009): «El trovo desde sus orígenes hasta Trovalia, la fiesta de la globalización», *Cangilón,* 32, pp. 163-170.

SANGLAS, Jordi (1982): «Els darrers cent anys a Tavertet. Primavera», *Els Cingles*, 10, maig, pp. 3-8.

SANT CASSIA, Paul (2000): «Exoticizing Discoveries and Extraordinary Experiences: 'Traditional' music, modernity, and nostalgia in Malta and other Mediterranean societies», *Ethnomusicology,* 44(2), pp. 281-301.

SAPRÓ BABILONI, Marcos (2011): «Spirtu Għannej: Una revisión sobre forma, ritual, género y modernidad en el canto popuñar maltés», *Quadrivium. Revista Digital de Musicologia*, 2. En línea: http://www.avamus.org/revista_qdv/qdv_numero2.html#UNA

SARASUA, Jon (2000): «El bertsolarismo vasco: desafío de la improvisación en la cultura moderna» dins TRAPERO, Maximiano *et al.* (eds.), *Actas del VI Encuentro-Festival Iberoamericano de la Décima y el Verso Improvisado*, pp. 473-480.

SAVAL, Josep V. (1996): «Les tradicions orals catalana i castellana i el cas de Mallorca», *Miscel·lània Germà Colón-6*. Barcelona: Abadia de Montserrat, pp. 185-194.

SBAIT, Dirghām H. (1989): «Palestinian Improvised-Sung Poetry: The Genres of Hida and Qarradi — Performance and Transmission», *Oral Tradition*, 4, 1-2, pp. 213-235.

— (1993): «Debate in the Improvised-Sung Poetry of the Palestinians», *Asian Folklore Studies*, 52, pp. 93-117.

SBERT i GARAU, Miquel (1987): «Glosadors de Llucmajor», *Lluc*, maig-juny, 738, pp. 10-15.

— (1992): *La poesia de tradició oral: Aportació al catàleg de glosadors de Mallorca (Els glosadors de Llucmajor i la seua comarca)*, Tesi doctoral inèdita, Universitat de les Illes Balears. Departament de Filologia Catalana.

— (1997): «La performance en poesia de tradició oral», *Actes de l'Onzè Col·loqui Internacional de Llengua i Literatura Catalanes: Palma (Mallorca), 8-12 de setembre de 1997*, vol. II. Palma-Barcelona: Universitat de les Illes Balears-Publicacions de l'Abadia de Montserrat, pp. 85-107.

— (2000): «La poesia improvisada en las Illes Balears: los 'glosadors'», dins TRAPERO, Maximiano *et al.* (eds.), *Actas del VI Encuentro-Festival Iberoamericano de la Décima y el Verso Improvisado*, pp. 481-492.

— (2009): *Llengua de glosador. Notes sobre poesía de tradició oral*, Palma: Lleonard Muntaner.

SCARNECCHIA, Paolo (1998): *Música popular y música culta*. Barcelona: Icaria.

— (2012): «Poetar cantando nel Mediterraneo», *Cuadernos de Etnomusicología*, 2, pp. 5-16.

SEGUÍ, Salvador (1980): *Cancionero musical de la provincia de Valencia*. València: Institució Alfons el Magnànim, Diputació Provincial de València.

SERRA I BOLDÚ, Valeri (1907) [1982]: *Cançons de pandero. Cançons de ronda*, Arxiu de Tradicions Populars. Edició facsimilar. Barcelona-Palma de Mallorca, José J. de Olañeta, editor.

SERRÀ CAMPINS, Antoni (1996): «Aproximació al poeta oral de llengua catalana». *Llengua i Literatura: Revista Anual de la Societat Catalana de Llengua i Literatura*, vol. VII, pp. 7-59.

— (1997): «El cant alternat. Una proposta de classificació», dins Joan Mas i Vives, Joan Miralles i Montserrat i Pere Rosselló Bover (eds.), *Actes de l'Onzè Col·loqui Internacional de Llengua i Literatura Catalanes: Palma (Mallorca), 8-12 de setembre de 1997*, vol. II. Palma-Barcelona: Universitat de les Illes Balears-Publicacions de l'Abadia de Montserrat, pp. 61-84.

— (1999a): «La tençó popular catalana». *Revista d'Etnologia de Catalunya*, 14, pp. 140-141.

— (1999b): «La tençó popular: el combat de corrandistes, glosadors o enversadors». *Els Marges: Revista de Llengua i Literatura*, 64, pp. 5-38.

— (1999c): «Dues formes breus de la poesia amebea». *Estudis de filologia catalana: dotze anys de l'Institut de la Llengua i Cultura Catalanes, Secció Francesc Eiximenis*. A cura de Pep Valsalobre i August Rafanell. Barcelona, Publicacions de l'Abadia de Montserrat, pp. 315-354.

— (2005): «Funció del glosador en la societat preindustrial», dins MUNAR, Felip (ed.), *Formes d'expressió oral*. Manacor: Consell Insular de Mallorca, pp. 9-11.

SERRANO SEGOVIA, Sebastián (1980): *Marín, rey del trovo*. Madrid: Ministeri de Cultura.

— (2008): *David Castejón, patriarca del trovo*, Edició de David Castejón Ballester.

SIMÓ, Carme (1987): «Llorenç Capellà Garí, glosador», *Lluc*, maig-juny, 738, pp. 20-22.

SISTAC i SANVICÉN, Dolors (1993): «Cançons, dones i rituals», *Àrnica*, època III, 13, pp. 22-25

— (1997): *Les cançons de pandero o de tambor. Estudi i noves aportacions*, Lleida: Institut d'Estudis Ilerdencs.

SYKÄRI, Venla (2009): «Dialogues in Rhyme: The Performative Contexts of Cretan Mantinádes», *Oral Tradition*, 24, 1, pp. 89-123.

— (2011): *Words as Events: Cretan Mantinádes in Performance and Composition*, Helsinki: Finnish Literature Society.

TEGIDO-MALLART *GUSTINET*, Josep Maria (2012): «Pomada de cor de carxofa dins de(l) calaix», *Caramella*, 27, juliol-desembre, pp. 115-116.

TERRADO i TERRADO, Pere (2013): «Un manuscrit d'Alguaire del segle XVIII», *Cercavila*, 54, abril-maig-juny, pp. 13-16.

THOUS, Maximilià (1936): *Aladroc*, València: Tipografia Ramon Soto-Quart.

TOMÀS, Joan i AMADES, Joan (1930) [2003]: «Memòria de la missió de recerca que Joan Tomàs i Joan Amades van realitzar a les comarques lleidatanes del juliol al setembre de 1930», dins *Obra del Cançoner Popular de Catalunya, Materials*, vol. XIII. A cura de Josep Massot i Muntaner. Barcelona: Publicacions de l'Abadia de Montserrat.

TOMÀS, Joan i MILLET, Lluís M (1927). [2010]: «Missió de recerca de cançons a l'Alt Empordà (Cançons recollides per Joan Tomàs i Lluís M. Millet el juliol-agost de 1927», dins *Obra del Cançoner Popular de Catalunya, Materials*, vol. XX. A cura de Josep Massot i Muntaner. Barcelona: Publicacions de l'Abadia de Montserrat.

TOMÀS LOBA, Emilio del Carmelo (2002): «El Encierre del Cuadro en el Bajo Segura. La pervivencia de un culto a través de la subasta», *Revista Valenciana de Folklore*, 3, pp. 146-157.

— (2007): «Breves anotaciones en torno al mundo de la repentización. El trovo y el lenguaje literario: variaciones sobre un mismo tema (I)», *Cartaphilus*, 2, pp. 164-174.

— (2008): «La producción musical de Manuel Cárceles Caballero 'El Patiñero'», *Cangilón*, 31, pp. 288-299.

TORREÑO, Antoni (2011): «El projecte «Poesia Oral Improvisada»», *Caramella*, 25, juliol-desembre, 105-107.

TORT, Josep, i LÓPEZ, Matías (2003) *Lo garrotín de Lleida: Sintonia d'una ciutat de paios i gitanos.* Lleida: Ajuntament de Lleida.

TRAPERO, Maximiano (ed.) (1994): *La décima popular en la tradición hispànica: Actas del simposio internacional sobre la dècima,* Las Palmas de Gran Canaria: Universidad de Las Palmas – Cabildo Insular.

— (1996): *El libro de la décima. La poesía improvisada en el Mundo Hispánico.* Las Palmas de Gran Canaria: Universidad de Las Palmas – Cabildo Insular – UNELCO.

— (2005): «Movimiento iberoamericano en torno a la dècima y a la improvisación poètica», dins MUNAR, Felip (ed.), *Formes d'expressió oral.* Manacor: Consell Insular de Mallorca, pp. 60-63.

— (2008): «El arte de la improvisación poética: estado de la cuestión» dins *La Voz y la Improvisación. Simposio sobre Patrimonio Inmaterial: Imaginación y recursos en la tradición hispánica.* Urueña: Fundación Joaquín Díaz - Junta de Castilla y León, pp. 6-33.

TRAPERO, Maximiano, SANTANA, Eladio i MÁRQUEZ, Carmen, (eds.) (2000): *Actas del VI Encuentro-Festival Iberoamericano de la Décima y el Verso Improvisado.* Las Palmas de Gran Canaria: Universidad de Las Palmas de Gran Canaria/Asociación Canaria de la Décima.

TUR, Aina (2013): *La glosa menorquina (anàlisi contemporània del glosat i els glosadors.* Quaderns de Folklore, 98, Ciutadella: Col·lectiu Folklòric de Ciutadella.

VELÁZQUEZ, Guillermo (2004): «La improvisación» dins D'EGAÑA, Andoni, GARZIA, Joxerra i RODRÍGUEZ, Fito, *Ahozko inprobisazioa munduan topaketak liburua,* Donostia: Bertsozale Elkartea.

VERDAGUER, Jacint (1932): «Les caramelles», *La Flama,* 16, 23 de març, p. 7.

VICENS, Francesc (2010): *Diguem Visca Sant Antoni! Una aproximacio musical a la festa,* Palma: Documenta Balear

— (2011): «Reinventar la tradició. Nous usos del glosat a Mallorca», *Caramella,* 25, pp. 15-18.

VIDAL, Pere (1885): *Cansoner català de Rosselló y de Cerdanya. II. Cansons de pandero,* Perpinyà: Librairie A. Julia.

VILAR, Ramon i CRIVILLÉ, Josep (coor.) (2011): *El Bages. Cançons, tonades i balls populars,* Barcelona: CPCPTC, Generalitat de Catalunya, Departament de Cultura. CD.

VILARNAU, Joaquim (2005): «Lo Teixidor. L'últim improvisador del Delta», *Folc,* 25, novembre-desembre, 28-31.

Vives Riera, Antoni (2008): *Modernització i pervivència de la vila rural com a subjecte històric durant el segle XX: les festes de sant Antoni i el cant de l'argument a la vila d'Artà a Mallorca*, Tesi Doctoral Inèdita, Universitat de Barcelona, Departament d'Història Contemporània.

— (2013): *Cultura popular i identitat local en la configuració de les veus subalternes de la pagesia. La tradició dels arguments a Artà entre 1846 i 1952*, Lleida: Edicions de la Universitat de Lleida.

Ya'ari, Ehud i Friedman, Ina (1991): «Curses in verses: Unusual Fighting Words», *The Atlantic*, febrer, pp. 22-26.

Yaqub, Nadia G. (2007): *Pens, swords, and the springs of art: the oral poetry dueling of Palestinian weddings in Galilee*, Boston-Leiden, Brill.

Watson, Kristen (2011): *Songs duel: conflict as a positive force*. A Thesis submitted to the Graduate College of Bowling Green State University in partial fulfillment of the requirements for the degree of Master of Music. En línia: http://etd.ohiolink.edu/send-pdf.cgi/Watson%20Krysten%20A.pdf?bgsu1294107613

Zedda, Paulu (2003): «La poesia estemporanea in Sardegna», dins dins *Encuentro sobre la improvisación oral en el mundo. (Donostia, 2003-11-3/8)*. Donostia: Euskal Herriko Bertsozale Elkartea, pp. 258-275.

— (2009): «The Southern Sardinian Tradition of the Mutetu Longu: A Functional Analysis», *Oral Tradition*, 24/1, pp. 3-40.

Zumthor, Paul (1991): *Introducción a la poesia oral*, Madrid: Taurus.

Aquesta segona edició de "Pensar en vers"
s'ha acabat d'estampar als tallers
de Gràfiques del Matarranya a Calaceit
a començaments del mes de maig
del 2014